P[illegible]

Philippe Besson est un écrivain, scénariste, dramaturge. *En l'absence des hommes*, son premier roman, publié en 2001, est couronné par le Prix Emmanuel-Roblès. Depuis lors, il construit une œuvre au style à la fois sobre et raffiné. Il est l'auteur, entre autres, de *Son frère*, adapté au cinéma par Patrice Chéreau, de *L'Arrière-Saison* (Grand Prix RTL-*LiRE* 2003), d'*Un garçon d'Italie* et de *La Maison atlantique*. En 2017, il publie *« Arrête avec tes mensonges »*, couronné par le Prix Maison de la Presse. Il revient à l'autofiction en 2019 avec *Un certain Paul Darrigrand*, puis *Dîner à Montréal*. Ses romans sont traduits dans vingt langues.

UN CERTAIN PAUL DARRIGRAND

DU MÊME AUTEUR
CHEZ POCKET

« Arrête avec tes mensonges »

Un certain Paul Darrigrand

Dîner à Montréal

PHILIPPE BESSON

UN CERTAIN PAUL DARRIGRAND

Julliard

Pocket, une marque d'Univers Poche,
est un éditeur qui s'engage pour la préservation
de l'environnement et qui utilise du papier fabriqué
à partir de bois provenant de forêts gérées
de manière responsable.

ISBN 978-2-266-29859-9
Dépôt légal : juin 2020

« Sauver quelque chose du temps où l'on ne sera plus jamais. »

Annie Ernaux, *Les Années*

La photo, je ne la cherchais pas.

Je suis tombé dessus par hasard, parce que je m'apprêtais à déménager et que j'avais entrepris de me débarrasser de ces choses qu'on entasse dans des armoires, sur des étagères, sans jamais plus y revenir, qu'on conserve tout simplement parce que, sur le moment, on répugne à les jeter.

Pour être parfaitement honnête, j'en avais presque oublié l'existence. Vous savez : le temps qui passe, la mémoire qui fait ses choix.

Bien sûr, quand je l'ai tenue entre les mains, j'ai tout reconnu, tout, instantanément : le lieu, la saison, l'époque ; et les deux garçons.

Je n'ai pas eu besoin de faire d'effort. Je n'ai pas eu d'hésitation.

J'ai d'abord été troublé puisque c'est toujours un peu étrange, n'est-ce pas, la résurgence imprévue, en rien préméditée, de souvenirs enfouis, d'épisodes occultés de nos vies. Étrange aussi d'être renvoyé à sa jeunesse quand on ne s'y attend pas, de se voir redonner l'image de ce qu'on n'est plus. Troublé, c'est ça. Sans être fichu de savoir s'il s'agissait d'un trouble agréable ou déplaisant.

Pour m'en défaire, je me suis efforcé de me rappeler les circonstances de la fabrication de cette image. Forcément l'auteur était à rechercher parmi les quatre autres qui se trouvaient avec nous sur l'île, cet hiver-là. Mais qui parmi les quatre ? D. presque à coup sûr. Il avait emporté avec lui un appareil photo, je le revois, le portant en bandoulière, tandis qu'on arpentait le front de mer, dans les bourrasques. Ce devait être un Canon, avec la mise au point manuelle, tous les types de notre âge en avaient un ou en voulaient un, on s'imaginait un peu artistes, on voulait fixer des moments, figer des silhouettes. Ensuite, à notre retour à Bordeaux, D. a dû en faire un tirage, nous le montrer, nous dire : choisissez celles qui vous plaisent et je les ferai retirer. Et j'ai retenu celle-ci.

J'ai fini par la ranger avec d'autres, dans une boîte à chaussures. Cette boîte m'a suivi d'appartement en appartement. De nouvelles photos sont venues s'y empiler, avec les années. À chaque ajout, je me disais : ce sera bien de les regarder, un jour. Mais à chaque ajout, je repoussais le moment, ayant compris que la nostalgie fait plus de mal que de bien. Et puis, un jour, il n'y a plus eu de photos ajoutées, parce que désormais les souvenirs tiennent dans des téléphones portables, mais la boîte est restée, perchée en haut d'une armoire.

Elle est ouverte devant moi alors que je commence à écrire.

Et, au fond, c'est peut-être pour cette unique raison – jamais précisément formulée – qu'elle n'a pas disparu dans les grandes éradications dont je suis capable parfois : je devais penser que ces photos *serviraient*.

Celle-ci au moins.

Celle-ci *en particulier.*

Les deux garçons sur ce cliché ancien, c'est Paul et moi.

Je reconnais ses cheveux bruns, ses lourdes boucles brunes qui s'envolent avec le vent, et son regard sombre, ses joues creusées, la peau claire, immaculée. Il baisse un peu la tête, il a les mains enfoncées dans les poches d'un caban de marin. Moi, je suis plus petit que lui, la différence de taille se voit. Les verres de mes lunettes sont embués à cause de la pluie. En arrière-plan, le clocher d'une église, un clocher distinctif, un cône noir surmontant un édifice blanc, celui d'Ars-en-Ré. Je présume que c'était cela, l'effet recherché, montrer que nous nous trouvions à Ars, et faire que la singularité du lieu apparaisse.

Paul a vingt-quatre ans, moi vingt et un.

Il a une allure folle, malgré la tête baissée ou à cause d'elle, quelque chose d'élégant et de mélancolique, et moi, eh bien moi, je ressemble à un adolescent rétif. Des années plus tôt, j'avais déjà été un enfant rétif. Quand ma mère nous demandait, à mon frère et à moi, de prendre la pose dans le but de « conserver une trace » (c'étaient ses mots), elle se plaignait de mes rebuffades, les tenait pour de la coquetterie, prétendait que je me *donnais un genre*. À dix-huit ans, c'était pire encore ; je me détestais. J'ai raconté cela : les lunettes de myope, l'absence de charme, la débilité de tout le corps. Quand je détaille la photo de l'île de Ré, la souffrance de ce jeune homme me saute aux yeux, cette impression de ne pas être à la hauteur (dans tous les sens du terme) ; je vois sa volonté de disparaître, d'esquiver le regard d'autrui, je sais son malaise et sa honte.

Si j'ai consenti ce jour-là à affronter l'objectif, c'est évidemment dans l'unique intention de figurer aux côtés de Paul, pour que ce *nous deux* apparaisse quelque part, pour que ça existe, qu'on ne vienne pas me dire après que ça n'a pas eu lieu. Au fond, c'est ma mère qui avait raison : conserver une trace.

Il y a autre chose, peut-être. À l'époque, j'aimais me rendre dans l'île hors saison, lorsque les touristes l'ont désertée, que les autochtones se retrouvent entre eux, sans avoir besoin de mimer la séduction ou l'exaspération, quand la pluie dégouline des cabanons et que le sable colle aux chaussures après, quand les rideaux de fer des friteries et des glaciers sont tirés, les terrasses rentrées, quand le vent cingle, et que le silence domine. Cela devait cadrer avec le romantisme tourmenté que j'affectais alors. J'ai dû penser : ce n'est pas moi qu'on photographie mais plutôt ce que je tente bêtement d'incarner, il s'agit d'une image recomposée, flatteuse.

Aucune date n'est mentionnée au dos de la photo, mais pas besoin : il ne fait aucun doute qu'elle a été prise en 1988, quelques jours avant Noël. Puisque c'est dans cette brève période, qui court du premier jour des vacances jusqu'au réveillon, que nous avons loué la maison dans l'île. J'ai consulté le calendrier de l'année 88 : la scène immortalisée s'est forcément produite entre le samedi 17 et le vendredi 23 décembre. Et plus précisément entre le 17 et le 21, car je suis quasiment certain que nous ne sommes pas restés une semaine entière sur l'île en fin de compte : certains d'entre nous devaient être rentrés avant le 22, afin de disposer d'assez de temps pour rejoindre des maisons de famille, des repas de famille, loin.

Non, la seule question qui vaille, c'est : a-t-elle été prise avant ou après la première nuit avec Paul ? Quand je scrute l'expression de nos visages, je ne peux établir aucune certitude. Nous n'avons pas l'air très joyeux, ce qui tendrait à me faire pencher pour « avant ». Cela étant, nous sommes transis de froid et personne ne sourit dans les grands froids, on a hâte que ça se termine. Toutefois, ça peut aussi bien être « après », car d'emblée nous avons su qu'il nous fallait ne rien laisser paraître. Nous sommes peut-être en train de jouer la comédie, de mimer l'ennui ou l'indifférence alors que nous nous consumons au-dedans.

Mais, je m'en rends compte, je vais trop vite, beaucoup trop vite : personne ne peut *réellement* comprendre ce qui s'est produit au cours de ces jours de décembre 88 si je ne raconte pas d'abord les mois qui ont précédé.

Et le mieux, c'est encore de commencer par le mois de juin, lequel marque la fin de trois années d'études à Rouen ; et par la même occasion une libération.

Car j'ai été malheureux à Rouen. Profondément malheureux.

J'y ai suivi un cursus qui ne me convenait pas, qui ne me plaisait pas, celui d'une *business school* (on employait ce genre de termes à l'époque, on trouvait modernes tous les anglicismes). En vérité, je n'étais pas fait pour le marketing, pas davantage pour la finance, voilà des matières qui me sont tout à fait étrangères, auxquelles je n'entends à peu près rien. J'ajoute que l'idéaliste de gauche que j'étais éprouvait de la méfiance, du mépris, voire de l'hostilité à l'endroit de disciplines ayant pour objet soit de favoriser la surconsommation, soit d'optimiser les revenus du patronat. Je me suis fichu dans ce guêpier uniquement parce que mon père avait décidé que la fac n'était pas assez bien pour moi, que je me devais d'intégrer une grande école ; je lui ai obéi. Je me suis retrouvé propulsé parmi des *wonder boys* et des *working girls*, qui ne rêvaient que de L'Oréal et d'Arthur Andersen, quand je lisais *Le Matin de Paris* et rattrapais mon retard en Duras. Et ce, au beau milieu des années 80, les années Reagan-Thatcher, celles d'un libéralisme à tout crin qui puisait son esthétique et son idéologie dans *Dallas* et *Dynastie*. Tout cela ne pouvait pas fonctionner. Tout cela a néanmoins eu lieu et je suis même sorti diplômé dans les premières places, comme si je ne pouvais jamais cesser d'être un bon élève, un jeune homme irréprochable.

Il y a aussi que je n'aimais pas tellement Rouen. Des ciels plombés, des particules de pollution, des trottoirs ruisselants, des gens grelottants, des boutiques aux devantures vieillottes, une bourgeoisie décadente nostalgique de Jean Lecanuet, l'ennui.

Je louais une chambre en ville, non loin de la place Cauchoise, en haut d'une rue en pente, dans une maison de brique rouge, une chambre minuscule avec un Velux et du papier peint vert. J'avais refusé de vivre à Mont-Saint-Aignan, sur le campus, au sein de la cité universitaire, je ne voulais pas me retrouver au milieu des gens de mon âge, j'avais cette sauvagerie, un goût prononcé pour la solitude, ou plus exactement le dégoût de la collectivité, de la promiscuité, de la consanguinité ; le prix à payer, c'était le Velux, le papier peint vert. Le soir j'allais dîner seul au resto U de la rue de Brazza, les tables étaient en Formica, je menais une existence frugale, je ne parlais à personne, je n'avais pas d'amis. Même quand il m'arrivait d'aller frayer dans des bars avec des inconnus, je ne leur parlais presque pas, les regards suffisaient, le corps. Pour moi, Rouen demeure la ville d'un grand silence, d'un absolu retranchement.

Je rentrais à Barbezieux, chez mes parents (avant je disais : *chez moi* ; le cours de nos existences tient parfois dans ces glissements sémantiques), une fois toutes les six semaines seulement, parce que le trajet durait près de six heures au total, je devais changer de gare à Paris, aller en métro de Saint-Lazare à Austerlitz, puis reprendre un train Corail, il n'y avait pas de TGV à l'époque, c'était épuisant, décourageant. Quand je finissais par arriver en Charente, c'était la nuit profonde. Je n'ai pas oublié cette profondeur de la nuit. Quand j'en repartais (avec mon linge propre, bien replié), c'était le dimanche en fin d'après-midi. Je détestais les dimanches, mais qui les aime ?

Quand je restais en Normandie, je passais mes week-ends à travailler, à lire des romans étrangers (je découvrais Edmund White, Pier Vittorio Tondelli), à regarder la télé sur un petit poste à antenne (l'image était souvent imprécise, brouillée), enfermé dans ma chambre, je ne sortais pratiquement pas, sauf pour acheter la baguette et le jambon blanc qui serviraient à me confectionner des sandwiches (le resto U était fermé le samedi soir et le dimanche). Je me souviens de l'enfermement.

Il m'arrive quelquefois de retourner à Rouen, lorsque je viens signer mes livres à L'Armitière. Rien n'a changé ; ou si peu. Il fait toujours aussi froid au sortir de la gare, le vent s'insinue sur les quais, saisit l'arrivant, il y a toujours ce buffet sur la droite, juste après le fleuriste, fréquenté par des poivrots, la rue Jeanne-d'Arc est sinistre, le gris y domine, la bise s'y engouffre en automne, en hiver, tout paraît figé, fossilisé, je ne reste jamais longtemps, je ne pourrais même pas envisager d'y passer une nuit. Je suis forcément très injuste mais ma mémoire l'emporte sur toute autre considération, et elle est triste, cette mémoire.

Donc en ce mois de juin 88, disais-je, je quitte enfin Rouen. Je remplis deux valises, celles que j'avais apportées avec moi trois ans plus tôt, je ne jette même pas un dernier regard à mon meublé avant de refermer définitivement la porte, je dévale l'escalier, je restitue ma clé à ma logeuse, une femme rousse et vulgaire qui parle fort, fume des gauloises et assure qu'elle me regrettera (« vous étiez si discret, si tranquille » ; la pire des condamnations, sans le savoir), j'emprunte le bus qui me dépose devant la gare, je grimpe dans le train, c'est terminé, comme si ça n'avait jamais existé, comme si les trois années présumées être les plus belles de mon existence (de dix-huit à vingt et un ans) n'avaient jamais eu lieu, comme si ce temps était voué à devenir un trou noir. Tandis que le paysage défile derrière la vitre du train, tandis que je traverse cette France de la fin des années 80, il me semble sortir d'une ornière, d'une impasse. Et revenir à la lumière.

Je suis bien résolu à ne plus être le jeune homme seul.

Je devine néanmoins que cela exigera des efforts. Je me suis si bien habitué à l'obscurité, à la claustration. Je suis comme ces enfants faméliques qu'il ne faut surtout pas trop alimenter lorsqu'ils ont accès à nouveau à la nourriture, sinon on risque de les étouffer, de les tuer. Il convient de leur octroyer d'abord de petites portions, quand bien même ils réclament davantage, et patiemment augmenter les doses.

Dans les premiers jours de juillet, je suis convoqué à Bordeaux pour passer l'oral d'admission au DESS de droit du travail auquel j'ai postulé. On ne dit plus DESS de nos jours, on parle de master 2, je crois, il s'agit pour faire simple d'un bac + 5. J'ai choisi cette filière parce qu'il faut bien que je fasse quelque chose de ma vie et que le droit me paraît alors le seul moyen d'échapper à un destin de commercial ou de financier. Je sais que ce sera ma dernière année d'études, qu'après, m'attendent le monde du travail, un contrat, un salaire, un métier. Je sais que c'est peut-être ma dernière occasion d'être un type de vingt ans.

Je ne me rappelle pas grand-chose de cet oral sinon qu'il a eu lieu au dernier étage d'un immeuble ancien, que j'y ai rencontré Philippe (il est encore un de mes amis aujourd'hui), que la salle d'attente était une étuve, que celle de l'examen était exiguë. Je ne me rappelle pas du tout la tête de mes examinateurs, ni même leur nombre, ni le sujet sur lequel j'ai dû plancher. Je me rappelle en revanche qu'on s'est étonné de ma présence : d'ordinaire, les candidats étaient issus de l'Université, on s'est demandé ce que je fichais là, si je ne m'étais pas fourvoyé, avec mon diplôme d'école de commerce toutes les portes m'étaient déjà grandes ouvertes, j'ai dû répondre que j'entendais me spécialiser, je n'allais pas leur dire : *je retarde le moment, monsieur le bourreau*. Il y avait la question de mon âge aussi, j'étais si peu mature, mon apparence était encore si frêle, je ne pouvais pas me présenter devant des recruteurs dans cet état, je n'ai pas eu besoin de le mentionner, on ne voyait que ça, les résidus de mon adolescence, le produit d'années d'insociabilité. J'étais un gamin mal dégrossi, farouche.

À la mi-juillet, on m'apprend que je fais partie des vingt candidats retenus. Je n'en conçois aucune fierté, ni même de joie. Simplement du soulagement. La menace de la vie réelle est écartée. Je viens de gagner une année. J'ignore qu'elle sera la plus belle de ma vie.

L'été 88 est un été d'orages, de rafales, de tornades, le toit d'un hypermarché s'écroule dans une ville de la banlieue parisienne à cause de bourrasques, du poids de la grêle, il se produit des phénomènes comme ça, on ne parle pas encore de dérèglement climatique, des étés pourris on en a déjà connu.

(Cet été-là, aussi, l'affaire Judith Barsi défraie la chronique en Amérique. Judith est une fillette adorable, âgée de dix ans. Son père, Jozsef, a fui la Hongrie communiste en 1956. Des années plus tard, il a rencontré en Californie une autre immigrante hongroise, prénommée Maria, en est tombé amoureux. Un bébé a fini par arriver : c'est Judith. Presque un conte de fées. L'enfant grandit à San Fernando Valley. Elle est si jolie, avec ses cheveux blonds, ses yeux noisette, on dirait une poupée. Sa mère aussi était charmante mais elle n'a rien réussi à faire de sa beauté : sa fille va la venger d'un destin avorté, elle est balancée dans tous les castings et parce qu'elle est plaisante, elle plaît ; parce qu'elle est photogénique, on la photographie sous tous les angles ; parce que la caméra l'aime, elle la dévore. Judith apparaît dans des publicités, beaucoup de publicités, près de soixante-dix, elle joue dans des séries télé et décroche même un rôle dans *Les Dents de la mer*. Mais elle ne grandit pas assez vite. Alors la mère lui administre des injections d'hormones. Il ne faudrait pas que la poule aux œufs d'or lui claque entre les doigts. Le père, de son côté, au lieu d'être fier, se montre de plus en plus jaloux du succès de son enfant. Et sa jalousie le porte à l'agressivité : il se met à battre la fillette. L'alcool aidant, il la menace avec un couteau de cuisine. Il hurle : je vais te trancher la gorge. Et puis rit. Un autre jour, il dit : je vais mettre le feu à cette baraque. Judith pleure et sa mère sèche ses larmes. Judith grossit et sa mère la met au régime. Judith voit un psy qui ordonne une mesure d'éloignement, mais sa mère ne veut pas perdre ses biens. Judith s'arrache les cils et sa mère lui rajoute un peu de mascara. Le matin du 25 juillet, un voisin aperçoit la fillette à vélo. Nul ne la reverra plus. Le soir même, Jozsef se faufile dans sa chambre. Judith dort, comme dorment les enfants. Calmement, il pointe une arme sur son petit front. Et il tire. Maria qui a entendu la détonation accourt. Alors Jozsef tire une deuxième fois, à bout portant. Maria s'écroule aussitôt. Et c'est le calme. Enfin. Pendant les deux jours qui suivent, le père reste dans la maison ou fait un tour dans le quartier. Sa nervosité revient, le dévore. Le calme n'était qu'une illusion. Il pense : il faut nettoyer tout ça, quand ce sera nettoyé j'irai mieux. Il répand de l'essence sur les deux cadavres et jette une allumette. Il regarde le feu prendre, consumer la maison. Un immense feu de joie. Puis il se rend dans son garage. Porte son calibre 32 à sa tempe. Et tire à nouveau. C'est fini. Cette fois, c'est vraiment fini. Voilà donc ce qui retient mon attention au cours de l'été 88.)

Au mois d'août, de timides éclaircies reviennent. C'est le moment que nous choisissons pour partir en camping du côté de Saint-Jean-de-Luz.

Quand je dis « nous », je veux dire : Nadine, Xavier, Éric, Loïc et moi. Nous étions en terminale ensemble, nous nous sommes dirigés vers des filières différentes, Nadine dans une fac à Poitiers pour apprendre les sciences économiques, Xavier à Bordeaux où il fait médecine, Éric à Toulouse, il y fréquente une école d'ingénieurs, tandis que Loïc se prépare à rentrer au bercail, au sein de la ferme familiale. Nous ne nous sommes pas perdus de vue, cependant nous nous croisons rarement, les vacances nous offrent l'occasion de nous retrouver. Nous ne savons pas que ce sont les dernières que nous passerons ensemble. Ou plutôt si, nous le savons, au moins nous le devinons, mais pas question d'en parler, cela nous rendrait trop tristes, et ce qui compte, c'est l'instant présent, partir en camping à Saint-Jean-de-Luz, les éclaircies hésitantes d'un été pourri.

Nous embarquons dans la 2 CV bleu gendarme de Nadine, à l'époque ce n'est pas encore une voiture vintage donc tendance mais ce n'est déjà plus une voiture fiable, la suspension laisse à désirer, le moteur a des ratés, la boîte de vitesses grince, les rabats des vitres ne cessent de retomber, il faut remettre de l'essence tout le temps. Nous avons vingt ans, c'est sans importance.

Pendant longtemps, cette escapade m'apparaîtra comme la preuve que la jeunesse pouvait bel et bien exister, je veux dire ce qu'on associe généralement à la jeunesse : la désinvolture, l'énergie, l'affranchissement, le goût d'être ensemble, l'envie de la fête. Avant cela, au fond, je n'aurai jamais véritablement connu pareilles sensations. Après, il sera trop tard. Après, ce seront les choses sérieuses.

Sur place, nous éprouvons quelques difficultés à monter nos tentes ; pas vraiment doués les étudiants en goguette, pas vraiment manuels. Et c'est encore compliqué de monter ces trucs-là, il y a des tubes dans tous les sens, la toile craque facilement, les piquets ne restent pas longtemps enfoncés dans la terre trop humide, les fils ne sont pas assez tendus, nous sommes plutôt lamentables.

Nous les avons installées sous un arbre, nous y mettrons le feu, un soir, par inadvertance. Nous sommes en train de jouer au tarot, autour d'une table pliante, éclairée par un Lumogaz. Nous buvons des bières, la nuit tombe lentement, quand le Lumogaz s'éteint. Il faut changer la bouteille rechargeable. C'est Éric qui est désigné (il sera ingénieur, les choses techniques sont pour lui, le monde se découpe simplement pour nous). Afin qu'il s'exécute, nous l'éclairons à l'aide d'un briquet. Il enclenche la bouteille, tout rentre dans l'ordre. Sauf qu'il a un doute : l'enclenchement s'est-il fait correctement ? (Finalement, on ne devrait rien demander aux ingénieurs, ils ont cette manie de tout vouloir vérifier.) Il fait donc pivoter la bouteille dans l'autre sens. Du gaz s'en échappe aussitôt, trouve la flamme du briquet, provoque une gerbe de feu qui grimpe dans les airs, lèche les feuilles de l'arbre puis les branches qui, à leur tour, prennent feu. Nous nous écartons, les autres campeurs viennent à notre rescousse pour éteindre l'incendie. Je nous revois piteux, sous les regards accusateurs. Mais heureux que la seule victime ait été un arbre. Nous quittons le camping le lendemain sous l'opprobre général.

Je me souviens aussi d'un bord de mer, la plage des Basques à Biarritz, de rouleaux que le vent venu du large rapporte et fait gronder, d'une jeune fille blonde très maigre, à la peau diaphane, soudain prise dans ces rouleaux, elle est ballottée, déportée sans cesse, engloutie, régurgitée, elle se débat, elle ne peut pas s'en sortir, tout son corps est désarticulé, elle va se noyer si personne ne fait rien, la furie des eaux va avoir raison d'elle, un homme finit par s'élancer, le courage ça existe, l'altruisme ça existe, il offre son poitrail aux vagues, fend les flots, s'en va sauver la jeune fille, il l'extrait de la colère océane, la ramène sur le rivage, dépose son corps sur le sable, elle est choquée, épuisée mais en vie. Nous, nous n'avons pas bougé. Nous avons regardé comme au spectacle. Même pas horrifiés, convaincus sans doute que la jeune fille s'en sortirait, mais finalement penauds de nous découvrir si amorphes, si idiots et peut-être si lâches.

Le reste du temps, nous buvons des coups dans des bars à tapas, jusque tard dans la nuit. L'air est doux, des gens ivres et bruyants chantent et chavirent, des conversations interminables sur le tout et le rien les occupent, des disputes éclatent qui s'achèvent en étreintes, des paroles se perdent en direction de l'océan, les garçons aguichent des filles et c'est moi qu'elles préfèrent quand elles comprennent que je n'en voudrai pas à leur corsage, dans les boîtes de nuit on se déhanche sur « Bamboleo » des Gipsy Kings, « Gimme Hope Jo'anna » d'Eddy Grant, ou « Est-ce que tu viens pour les vacances ? » de David et Jonathan, parfois on frôle des inconnus, « semblant que c'est pas exprès ». C'est comme un lâcher-prise. Enfin.

Et il faut rentrer. Puisqu'il faut toujours rentrer. Puisque toujours les étés se terminent. Et chaque fois, c'est une sensation déchirante. Quand j'étais enfant, le signal, c'était la mort des tournesols, le moment où leur tête jaune virait au noir et s'inclinait vers la terre sèche, je comprenais que la rentrée des classes approchait, que c'en était fini du soleil et du désœuvrement, ça me plongeait dans des abîmes de mélancolie. J'ai écrit souvent, après, sur les arrière-saisons, sur la disparition de l'été ; ça vient de là.

En septembre, je m'installe donc à Bordeaux. Ou plutôt j'y reviens, puisque c'est au lycée Montaigne que, quatre ans plus tôt, j'ai accompli ma prépa HEC (l'établissement ressemblait de l'extérieur à une prison avec ses murs couverts de suie et ses barreaux aux fenêtres, j'y étais pensionnaire – ce qui ajoutait au sentiment de claustration). La ville n'a pas changé, Chaban-Delmas en est le maire depuis plus de quarante ans et, à l'évidence, l'avenir ne le préoccupe plus, le lent passage du temps a tout assombri, les façades sont couleur corbeau, tout exsude alors la poisse et le dépérissement, les eaux boueuses de la Garonne n'intéressent personne, c'est seulement à l'orée des années 2000 que la cité retrouvera sa blondeur et son allant. Je cherche un logement et finis par dénicher, je ne sais plus comment, une chambre dans l'hôtel particulier d'une vieille dame, à peine rentrée de Nouvelle-Calédonie où elle a passé une grande partie de sa vie. Une Caldoche colonialiste, dont le vaste appartement est encombré de bibelots anciens, de tableaux sans valeur, de poupées en porcelaine, et sent le renfermé. Je me demande pourquoi elle est revenue en métropole, elle aurait pu finir ses jours au soleil. A-t-elle senti que les Kanaks ne supportent plus ces Blancs arrogants, compris que le vent tourne ? A-t-elle voulu s'épargner les instants pénibles de ceux qui ont vécu trente ans plus tôt la fin de l'Algérie française ? À moins que, tout simplement, dans ce genre de famille bourgeoise et désargentée qui ne tient plus que par un patrimoine ancien lentement grignoté et quelques traditions, on ne revienne mourir là où on a vu le jour, on se rapproche de la pierre tombale. Je devine qu'elle ne fait que tolérer ma présence, s'étant résolue à louer une partie de son bien uniquement pour s'assurer une rente. Pourtant, je ne parviendrai pas à la trouver antipathique. D'abord, parce que ma chambre, certes modeste, s'ouvre sur un grand jardin arboré. Mais surtout parce que la vieille perd un peu la boule et que je serai plus d'une fois ému par la poésie involontaire où l'entraînent ses divagations.

C'est dans cette chambre que je ferai l'amour en cachette. C'est elle aussi qui accueillera ma fatigue aux retours des nuits d'hôpital. Elle est située rue Judaïque. Je suis passé en voiture devant l'immeuble il n'y a pas longtemps, j'ai failli demander au taxi de m'y arrêter et j'ai finalement renoncé, la pierre y était encore noire, comme si rien n'avait changé depuis 1988. J'ai songé que ma propriétaire était forcément morte depuis longtemps, ayant emporté avec elle l'image du jeune homme que j'étais alors.

Donc, c'est la rentrée. Ma première et dernière rentrée universitaire. Je suis un peu déçu de ne pas me retrouver sur le campus de Talence-Pessac-Gradignan, au sud-ouest de la ville, parce que j'ai vaguement fantasmé sur ces hectares d'enseignement du savoir, ces bâtiments enchâssés où grouille une multitude d'élèves, je crois que ça ressemble à ce qu'on nous montre dans les séries américaines, des édifices de brique rouge, des pelouses verdoyantes (alors que pas du tout). Notre unité à nous a droit aux honneurs du centre-ville, à la place Pey-Berland, nous faisons face à la cathédrale et ce n'est pas une image : de nos fenêtres, on ne voit qu'elle, son tympan noirâtre, ses arcs-boutants salis, ses flèches menaçantes. Très vite, je comprends que j'ai gagné au change : mieux vaut se tenir là où ça vit, où ça vibre, plutôt qu'à l'écart de l'agitation, et mieux vaut de petits comités qu'une foule où nul ne se distingue.

Dans notre promotion, treize filles et sept garçons. Le premier jour, on se salue, on donne son prénom, on s'installe au hasard autour de tables disposées en forme de U, on se sourit, on s'observe à la dérobée, il règne une sorte d'inconfort. Un professeur est chargé de nous présenter le cursus, il nous invite à nous présenter aussi, les uns aux autres. Autour de moi, on a fait de la sociologie du travail, de la psychologie du travail, des sciences politiques, du droit, et même de la biologie (des matières nobles, en tout cas), on pense probablement depuis longtemps à cette spécialisation (c'est presque une vocation pour eux quand ce serait chez moi une fantaisie ou une provocation), j'apparais comme une incongruité, ce n'est pas la première fois. Je dois leur sembler un suppôt du capital alors qu'ils seraient les chevaliers blancs du social – la vie en entreprise se chargera de détruire leurs illusions, de conforter mon pessimisme. Je suis heureux d'avoir quitté la bourgeoisie de mon école, de me retrouver avec des gens qui s'habillent comme moi, pensent comme moi (même si, donc, ils en doutent à cet instant précis).

Paul, je fais sa connaissance à la pause, ce matin-là.

Il suit un autre cursus que le mien mais dans les mêmes locaux. La sonnerie de l'interclasse nous jette l'un contre l'autre. Littéralement. Puisque je le bouscule tandis qu'il sort de la salle où il vient, lui aussi, de recevoir son premier cours. Je bafouille des excuses rapides (après tout, il n'y a pas mort d'homme), j'ai juste le temps de croiser son regard. Un regard noir, profond, dont j'apprendrai plus tard qu'il peut virer en une fraction de seconde du dédain au désir (et inversement). Un regard qui me décontenance avant que je reprenne mes esprits et poursuive mon chemin. C'est que je tiens à aller rejoindre mes nouveaux camarades, ceux de ma promotion. Cette année, j'ai décidé d'être sociable, gentil, de m'intéresser aux autres, vous vous souvenez ?

Donc, c'est juste cela, notre premier contact : une légère bousculade, une œillade sombre, un frôlement, et puis un effacement. C'est sans importance. Enfin, c'est ce que je crois.

À l'heure du déjeuner, les choses prennent un autre tour. Nous nous retrouvons au restaurant universitaire, situé au coin de la rue. Personne n'a songé à ne pas venir. Chacun a à cœur, je présume, de s'efforcer de bâtir une communauté, chacun a conscience que nous allons passer les neuf prochains mois ensemble ; vingt personnes enfermées dans la même salle de classe, vingt-quatre heures par semaine. Les esprits chagrins (dont je ne suis pas, pour une fois) ont vaincu leurs éventuelles réticences. Les jeunes gens de l'autre DESS font de même, animés par la même intention.

Parmi eux, je ne remarque pas Paul. Pourquoi le remarquerais-je ?

Après avoir déposé sur un plateau des victuailles moyennement appétissantes, je m'installe au bout d'une table où ne restent que deux places vacantes, souriant machinalement à ceux qui m'ont précédé. Corinne (qui deviendra ensuite une complice mais qui alors m'est encore une étrangère) s'approche, à son tour, armée de son plateau et me demande si elle peut prendre la dernière place en face de moi. J'acquiesce avec plaisir. C'est une fille avenante, simple, franche ; en chair également. Je l'ai remarquée dans la salle de cours. Elle m'a plu d'emblée. Je lui souris à elle aussi tandis qu'elle s'assoit, songeant que je suis bien tombé, espérant qu'elle m'a choisi et qu'elle éprouve pour moi le genre de sympathie qu'elle-même m'inspire déjà. Mais elle n'a pas le temps d'entamer une conversation. Paul surgit, de je ne sais où (ce n'est pas une formule : la seconde d'avant, il n'était pas là), il se tient debout à côté d'elle, la fixe, et il dit : je suis désolé, c'est ma place. Elle ne comprend pas, et moi pas davantage. Il s'explique, me désignant d'un hochement de menton, et proférant avec un naturel désarmant un mensonge éhonté : à la pause, tout à l'heure, on s'était promis de déjeuner ensemble, ça ne t'ennuie pas ? Corinne se relève aussitôt, presque confuse. Et s'éloigne, emportant avec elle son plateau. Je la vois se diriger vers une table vide. Je pourrais en avoir le cœur serré si je n'étais abasourdi par ce qui vient de se produire. Paul s'assoit, balance négligemment devant lui un plateau où il n'a presque rien entassé, m'adresse un sourire narquois et finalement me tend la main : « Paul Darrigrand. »

L'histoire vient de commencer.

Quand j'écris : « L'histoire vient de commencer », ce n'est pas seulement parce que je connais la suite, non. Je l'écris parce qu'à l'instant précis où il se présente, où il décline son identité, où j'entends sa voix pour la première fois, je le sais.

Dans plusieurs de mes livres, plus tard, je raconterai des rencontres de ce genre : le type qui se plante là, face à l'autre, et lui balance, l'air de rien, son désir, le type qui emploie des mots presque ordinaires tout en sachant que celui à qui il les destine entendra tous les sous-entendus. Je raconterai ces fulgurances, ces immédiatetés, la nécessité implacable. On y décèlera quelquefois un procédé romanesque, une facilité, on m'objectera que ça n'existe pas, *dans la vraie vie*, pareille brutalité et moi, je ne répondrai rien alors, je ne répondrai pas à l'objection, je me contenterai de me souvenir de Paul Darrigrand, ce jour-là de l'automne 88. J'aurai un léger sourire.

Je me remémore avec difficulté ce que nous avons bien pu nous dire lors de ce premier déjeuner. Je présume que nous avons dû faire des présentations sommaires. J'ai dû évoquer l'enfance charentaise, l'adolescence cotonneuse, l'enfer de la prépa, l'ennui de l'école de commerce. Je suis presque certain que j'ai passé le reste sous silence : le goût pour les garçons (à l'évidence, il l'avait deviné – sinon, pourquoi venir vers moi ?), le grand amour passé pour Thomas Andrieu (lequel devait demeurer secret, même des années après, quitte à ce qu'il me dévore – et il me dévorait). Lui m'a probablement parlé de ses racines aquitaines, de son cursus universitaire accidenté (il avait commencé médecine avant de renoncer, de bifurquer), il s'est forcément contenté de généralités (j'allais découvrir à quel point il était capable de dissimuler l'essentiel). Ce que je me rappelle avec précision, en revanche, c'est le regard inquisiteur (on y revient), un regard qui fouille, qui déshabille, qui oblige à baisser les yeux, oui, voilà, c'est ça, un regard insoutenable. Je me rappelle le regard insoutenable.

Que je vous dise : je n'ai pas demandé d'explication à son geste, cette manière de s'imposer, son mensonge.

J'aurais dû.

Je me serais épargné des semaines de doute, de confusion.

Quand le déjeuner s'achève, et que se profile la reprise des cours, je suis déjà éperonné, je l'avoue. J'ai compris que je *veux* être avec ce jeune homme, que je *veux* sa compagnie. Il me plaît. Il me plaît follement. Je devrais en être surpris : je ne pouvais pas m'attendre à ça, à lui, et si vite, et je le suis inévitablement, surpris, mais je n'ai pas le temps de penser à cette surprise, je suis déjà dans une sorte d'éblouissement et d'emportement. Je dis : j'ai prévu de faire un saut à la librairie Mollat après les cours. Tu m'accompagnerais ? On finit à seize heures. Il dit : moi aussi, je finis à seize heures, je viendrai.

Il faudrait toujours prêter attention aux mots qu'on emploie, ils nous trahissent. Pour ma part, je dis : on finit à seize heures ; implicitement je me soumets à l'emploi du temps qu'on m'a fixé, j'obéis et je me raccroche à un groupe, à une communauté. Lui, il dit : je finis à seize heures ; c'est lui qui décide et il se détache des autres. L'interprétation peut sembler tirée par les cheveux et, cependant, elle ne l'est pas. Car j'apprendrai que ses cours se terminaient plus tard ce jour-là, que c'est lui qui a choisi de ne pas s'y rendre, simplement pour m'accompagner à la librairie. Tout est déjà en place dans sa façon de s'exprimer.

Je n'ai pas oublié la douceur de cet après-midi, tandis que nous marchions côte à côte. Je veux parler de la météo. Une réminiscence de l'été. Un ciel bleu, le soleil sur les façades, un air tiède sur nos visages. Je parle aussi de l'impression folle de « déjà-vu », comme si la scène était totalement naturelle, habituelle, alors que le garçon, là, juste à côté, était pourtant six heures plus tôt un parfait inconnu.

Chez Mollat, je me dirige vers le rayon de la littérature française. Je cherche à me procurer *Les Gangsters* d'Hervé Guibert. Il ignore qui est Hervé

Guibert, n'a même jamais entendu son nom (ce qui en soi n'est pas étonnant ; à cette époque, il n'a pas encore publié le triptyque sur le sida qui fera sa « gloire »). Il m'avoue qu'il lit peu, et le regrette. Tout de même, il me signale une lecture qu'il vient d'achever et qu'il me recommande : *Éloge de l'ombre* du Japonais Tanizaki. J'achète aussitôt le livre, pour lui faire plaisir évidemment. Mon erreur sera de ne pas le lire rapidement, j'aurais sans doute mieux saisi son personnage alors. Car cet essai défend une esthétique de la pénombre et s'intéresse notamment au clair-obscur. Et, au fond, rien ne définira mieux Paul Darrigrand que cette notion de clair-obscur.

(Dans *Les Gangsters* que je découvrirai quelques jours plus tard, je relèverai ce passage : « Dans mon journal, j'écris une phrase dictée par une pensée inopinée : "Un jour, un garçon apparaîtra dans ma vie, qui sera un piège." Je ne comprends pas pourquoi j'écris ça, d'habitude je comprends ce que j'écris. Je pense que cette phrase renvoie à un futur vague, comme une prédiction de cartomancien. » Tout est dans les livres. Tout. On devrait s'en souvenir.)

Il me raccompagne ensuite jusqu'au 88, de la rue Judaïque. Il fait un peu plus frais, la rue est plus étroite, les immeubles sont hauts, ils barrent la lumière, la conversation se raréfie. Parvenu à destination, j'hésite quelques secondes, je connais par cœur ces instants d'avant le basculement, d'avant l'invitation, parfois un regard suffit, régulièrement il y faut quelques mots, presque toujours les mêmes, et finalement je les prononce, les mots, je les ai déjà prononcés devant d'autres, je lui propose de *monter*, et j'ajoute : *si tu n'as rien de mieux à faire*. Mon excessive désinvolture, bien entendu, ne fait que souligner l'élan irrépressible qui me porte vers lui, l'émoi qui s'est emparé de moi. Je me giflerais, mais trop tard.

Il décline mon invitation dans la foulée, avec délicatesse.

Je m'efforce de masquer ma confusion, et la petite humiliation qu'il m'inflige, je me dis : je me suis montré trop pressé, je ne suis qu'un con, nous avons le temps, rien n'oblige à coucher le premier jour (même si souvent j'ai couché le premier jour, et que souvent il n'y a pas eu de deuxième jour), tout ne peut pas être ramené au sexe, les sentiments ça existe aussi, d'ailleurs est-ce que je ne suis pas en train d'en fabriquer, des sentiments, lui aussi m'a tout l'air d'un sentimental, donnons-nous la chance que ça puisse devenir – sait-on jamais – *quelque chose*, ne gâchons pas tout, si ça se trouve j'ai tout gâché, je me giflerais, oui, vraiment.

C'est alors qu'il lâche, comme on enfoncerait une porte ouverte : ma femme m'attend.

La foudre me tombe dessus (expression galvaudée que je tiens en horreur mais, en l'espèce, tellement juste). Sa femme l'attend. (Après coup, j'apprendrai que c'est inexact, non pas qu'il a une femme, mais qu'elle l'attend : elle a un travail, elle rentre à la maison plus tard ; il ment simplement parce que c'est la façon qu'il a trouvée de me livrer *l'information*, comme une incise, un « à propos ».) Oui, la foudre me tombe dessus. Soudain, je pense : donc je me suis trompé, entièrement trompé, et ce depuis la première minute, depuis le « c'est ma place » au restaurant. J'ai cru qu'il m'avait repéré, choisi, que son approche constituait une tentative de séduction. Dans d'autres circonstances (la nuit), d'autres lieux (des bars, des boîtes), j'ai vécu des situations similaires, j'ai vu des garçons se ramener, proposer un verre, avant que tout cela finisse en fellations dans des chiottes ou en étreintes dans des chambres. J'ai cru qu'il s'agissait du même procédé, le jour ayant remplacé l'obscurité, le cadre universitaire s'étant substitué au refuge festif. Je me suis fourvoyé. Tout à coup, j'ai un peu honte. Et je me sens ridicule. Je suppose que ce malaise est apparent mais il ne s'en aperçoit pas (en réalité, il fait mine de ne pas s'en apercevoir. Des semaines plus tard, il me dira en s'esclaffant : tu aurais dû voir ta tête !). Il prend congé, me laissant là, seul, planté sur mon trottoir, vaguement misérable. Je songe : il faut que j'arrête de voir des pédés partout. Je songe : j'aurais pu me rendre compte par moi-même que ça ne tenait pas debout. Je songe : j'espère ne pas m'être trop dévoilé. Je songe : dommage, il me plaît vraiment beaucoup. Je songe : cette morsure que je ressens, c'est celle provoquée par le serpent.

Après ? Après, c'est la vie (redevenue) normale. M'habituer à un nouvel enseignement, apprendre à mieux connaître mes camarades de promotion, prendre mes marques, renouer avec la ville, rentrer le week-end à Barbezieux chez mes parents. La vérité, c'est que rapidement les cours m'ennuient, je les trouve trop théoriques ou trop techniques, je devine qu'ils nous préparent mal à ce qui nous attend, et les professeurs manquent d'envergure, j'ai besoin d'admirer, et je n'en admire aucun. Heureusement, je découvre en Philippe, celui-là même avec qui j'avais passé l'oral d'admission, un allié contre cet ennui et en Catherine, sa compagne (elle deviendra son épouse, elle l'est encore), une amie. Nous sortons souvent, le soir venu, dans les troquets alentour, aux Capucins ou vers la place de la Victoire. Ou alors nous restons dans leur appartement, rue Castelmoron, à manger des pâtes, à jouer au tarot, à parler politique jusqu'au milieu de la nuit (c'est le début du deuxième septennat de François Mitterrand, j'ai voté pour lui, Catherine en bonne Corrézienne est une pure chiraquienne, Philippe nous départage, il a l'âme centriste). Je vais souvent au cinéma, je n'ai pas perdu cette habitude prise à douze ans, je peux voir aussi bien *Piège de cristal* avec Bruce Willis que *Quelques jours avec moi* de Claude Sautet, détester *La Dernière Tentation du Christ* de Scorsese (qui fait polémique) et adorer *Drôle d'endroit pour une rencontre* de François Dupeyron (que la critique descend en flammes). Le vendredi, je prends le train de 17 h 10 et je rentre au bercail.

Seulement voilà, Paul Darrigrand, que je ne fais pourtant que croiser au cours de ces premières semaines, encombre mes pensées. Il y a des gens comme ça, ils n'ont rien besoin de faire, on ne peut pas s'empêcher de penser à eux, de les désirer.

Nous ne suivons pas le même cursus – je l'ai signalé – donc je le fréquente peu, ce qui est à la fois un regret (je préférerais le côtoyer davantage) et un dérivatif (il ne devient pas une obsession trop épuisante). Mais nous commençons nos journées et prenons nos pauses à la même heure, nous nous apercevons au restaurant universitaire, nous nous saluons chaque jour, nous prenons le temps d'échanger quelques paroles, et il nous arrive – de plus en plus régulièrement – de voler une heure pour aller prendre un verre au Bistro du Musée, au coin de la place Pey-Berland (on boit des bières, c'est l'alcool le moins cher). Chaque fois, j'en ressors plus troublé. Je me dis : c'est à cause du regard, le fameux regard inquisiteur. C'est à cause du sourire aussi, le sourire charmeur. De la proximité : les genoux qui s'entrechoquent quand nous sommes assis, l'un face à l'autre, les mains qui se frôlent par inadvertance. De la connivence qui s'installe. Du reste, il s'agit d'une connivence étrange. Le plus juste serait de la qualifier de « hors sol ». Je veux dire que nous ne parlons pas, dans ces moments-là, des choses dont les gens parlent habituellement, des choses convenues, nous ne parlons pas des cours que nous suivons, du temps qu'il fait, de *ce qui passe à la télévision*, du monde tel qu'il va, nous ne parlons pas des émeutes et de l'état de siège en Algérie, du référendum contre Pinochet au Chili, de l'élection de George Bush, de Christina Onassis retrouvée morte dans sa baignoire à trente-sept ans, des grèves à la RATP. Non, nous ne parlons presque jamais de *ce qui arrive*. Éventuellement, nous évoquons notre passé intime, par petites touches, ce sont des conversations impressionnistes ; une peinture pointilliste de Seurat.

Il dit qu'il est né à Hossegor, dans les Landes, que du plus loin qu'il se souvienne, il y a l'océan, la plage, et juste derrière les forêts de pins, il dit qu'ils habitaient sur le bord du lac, et moi j'ignore qu'il y a un lac à Hossegor, il dit : si, un lac marin, qui se vide presque complètement avec les marées, ses parents possédaient une villa sur une des rives, je songe : ça devait être des gens riches mais je ne pose pas la question, j'imagine aussitôt une maison blanche, aux volets verts, avec des épicéas autour, j'ai toujours besoin d'imaginer, ils avaient une barque aussi, il aimait aller faire de la barque sur les eaux salées, et regarder les oiseaux prendre leur envol, il est l'enfant du lac qui regarde les aigrettes blanches s'envoler, il devient l'adolescent qui fait du surf dans les rouleaux de l'Atlantique, il dit que c'est presque obligatoire là-bas, qu'il ne connaît pas un garçon qui ne fait pas du surf ou de la planche à voile, c'est un spot, Hossegor, il emploie le mot spot que je n'ai jamais entendu avant, il parle des vagues, de glisser sur les vagues, des bonnes conditions de vent et puis tout ça s'arrête quand il a seize ans, le père change de travail, la famille part s'installer à Bordeaux, où il terminera son lycée, Hossegor ce n'est plus que pour les vacances, et encore pas toujours, il a le regret des vagues, être à plat ventre sur la planche, ramer avec les bras, attendre le bon moment, se hisser, et tenir l'équilibre le plus longtemps, il dit qu'il sait tenir l'équilibre, il regrette aussi le calme du lac, surtout hors saison, et puis les pins, le craquement des aiguilles de pin sous les pieds quand il marche en forêt, je vois sa ferveur et sa mélancolie.

Alors je lui parle de l'île de Ré qui m'est si chère, et où il n'est jamais allé. Je lui raconte la maison de

La Noue, les volets vert bouteille, les roses trémières devant les fenêtres, je lui raconte la plage de Saint-Sauveur, le sable brûlant sous les pieds certains après-midi, les ganivelles en bois de châtaignier au pied des dunes ; les vacances. Je me dis que nous avons ça en partage, l'obsession de l'océan, le souvenir d'une enfance heureuse. Parfois le silence s'installe et, progressivement, je n'en suis plus paniqué, j'apprends même à l'adorer, ce silence, il est consistant, et il n'appartient qu'à nous.

Je ne peux m'empêcher néanmoins, déformation ancienne, de me demander ce qui l'intéresse chez moi, surtout dès lors que je considère que notre rapprochement n'obéit à aucun penchant sexuel. Je suis plus jeune que lui, et surtout beaucoup moins mature. Je suis futile quand il aspire à un certain sérieux. Je me fiche de mon avenir quand il s'efforce de construire le sien. Je recherche, le soir venu, des divertissements dans la nuit bordelaise quand il rentre retrouver sa femme. Je dépends encore de mes parents quand il exprime le désir d'avoir un enfant. Pour autant, je ne m'aventure pas à lui poser la question. Je me doute qu'il n'y répondrait pas. Car j'ai compris qu'il n'est pas le genre à expliquer, pas le genre non plus à formuler une inclination. Du coup, moi-même, je ne laisse pas filtrer grand-chose, alors que j'en meurs d'envie. Je suis déjà esclave de ma sensibilité mais je sais déjà comment la comprimer. Il faudra des années avant qu'elle éclate. Ça viendra dix ans plus tard, avec les livres.

À un moment, je me demande s'il ne cherche pas en moi un petit frère (il est fils unique ; un jour, il s'est confié sur cette béance, cette solitude, ce manque). Aujourd'hui, je comprends tout ce que cette hypothèse avait de scabreux. Elle était à mettre sur le compte de mon égarement. Même si, après tout, cette histoire aura été – aussi, à sa façon – une histoire de fraternité.

Catherine et Philippe, qui ont repéré mon trouble, m'interrogent. À eux, j'avoue que Paul Darrigrand « ne me laisse pas indifférent » mais que cet élan est « mort-né ». Catherine me dit, avec un air de défi : tu en es si sûr ? C'est elle, au fond, qui réactive ma conviction première, celle que le jeune homme n'est pas venu vers moi par hasard le premier jour, qu'il avait une idée derrière la tête, ou qu'il a obéi à quelque chose qu'il n'a pas réussi à contrer alors. Après, il s'est repris, il a dominé cette aspiration, cette animalité. Mais c'est encore là, tapi, ça pourrait resurgir. D'ailleurs, il me semble que ça affleure quelquefois, quand le regard sombre se fait soudain luisant, d'une lueur qui hésite entre le désir et la douleur.

Il y aura d'autres indices concordants. En ce mois de novembre, il conduit une sorte de tango, alternant les mises à distance et les moments de proximité, les pas en avant, les pas en arrière et les pas pivotés, les marches linéaires et le déboîté, les figures imposées et l'improvisation, le lent et le vite. Il réclame ma présence, exige des déjeuners, des balades aux allées de Tourny puis se ravise, dit à peine bonjour, change de couloir quand il m'aperçoit. Et moi, je lui obéis, minable pantin dont il tire les fils. J'accours puis j'accepte l'indifférence. Mon obéissance lui plaît et l'agace dans le même mouvement. Un jour, il m'avoue combien me connaître est « une chose importante pour lui ». Un soir, la conversation tourne en rond et il ne « voit pas bien où on va comme ça ». Je finis par donner un nom possible à ses volte-face : et s'il s'agissait d'une *parade amoureuse* ?

Un après-midi où nous séchons les cours pour boire des coups dans un bar à proximité du Grand Théâtre, je le sens perdu pour la première fois (pas de cause précise à son désarroi, c'est simplement qu'il vient de loin, ce désarroi, voilà), il a égaré sa superbe (il peut être assez crâneur), et les bières accumulées lui retirent le peu de maîtrise qui lui reste. Je le sens prêt à un aveu, les mots sont là, ils ne demandent qu'à sortir. Je me décide à l'aider. Je dis : avec toi, je suis bien, tu sais. La confession est triviale mais j'ai déjà compris que parfois les termes les plus simples disent l'essentiel, mieux que les formules les plus alambiquées. Il dit : je sais, oui. Comme si la vanité lui venait en premier.

Puis il baisse les yeux.

Il murmure : *c'est pareil pour moi.*

Le gigantesque de ça, à ce moment-là. Un pic d'impudeur pour lui. Avec le recul, ces mots tout bêtes, puérils, pourraient m'arracher des larmes.

Un autre jour, alors que nous croisons un garçon magnifique dans le tumulte de la rue Sainte-Catherine, le genre qui promène sa beauté avec désinvolture, sans arrogance, je ne peux m'empêcher de me retourner sur son passage. À cet instant, mes yeux n'expriment pas de concupiscence, plutôt une souffrance, devant l'injustice de cette beauté, devant son inaccessibilité aussi. Quand je reprends mes esprits, Paul lâche : c'est sûr, il est bandant. Je le dévisage. Il pourrait rougir, s'en sortir avec un : je dis ça pour toi, ou changer de sujet, mais non, il me dévisage à son tour. Manière d'assumer. En silence.

Connaissant la suite, je peux affirmer maintenant que ce qui s'est produit au cours de ces semaines passées à se tourner autour n'était rien d'autre que la diffusion d'un poison lent.

C'est le moment qu'il choisit pour me lancer, négligemment (néanmoins il me semble que la négligence est très travaillée, je le devine au battement nerveux des paupières) : ce serait bien que tu rencontres Isabelle, non ? Isabelle, c'est sa femme. Quand il formule cette proposition, je le confesse, ma première réaction est la perplexité. S'il éprouve du désir pour moi, ainsi que je recommence à le penser, cette invitation n'est-elle pas perverse ? En tout cas, elle est cruelle pour l'épouse, cruelle pour moi. Si le désir se manifeste, cette requête a-t-elle pour objet de le désarmer à nouveau ? L'épouse serait un parfait bouclier pour lui, un parfait éteignoir pour moi. De surcroît, notre lien se construit en dehors des conventions sociales : pourquoi décider de l'y ramener ? Mais après tout, peut-être cette invitation est-elle banale, attendue : dans les amitiés naissantes, on a à cœur de présenter au nouvel entrant ceux qui sont là depuis longtemps, les installés. Mon fatalisme revient au grand galop : cette dernière hypothèse est probablement la bonne. Il est temps que j'en termine avec mes fantasmes, mes interprétations et que je m'accommode de la réalité.

Il ajoute : je lui ai parlé de toi, elle m'a dit : pourquoi tu ne l'invites pas à dîner ? Aussitôt, je me demande ce qu'il a pu lui raconter à mon sujet : « C'est un des types de l'autre DESS. » « Il lit beaucoup de romans mais il est sympa quand même. » « Il loue une chambre en ville, ça lui changera les idées. » « Il est homo. Ça nous changera de nos amis. » Oui, quoi exactement ? Je voudrais décliner l'invitation, j'y vois un piège, j'y vois aussi une brèche dans ce que nous sommes l'un à l'autre, dans ce duo improbable que nous inventons, j'y vois une corvée sociale ; les motifs de refus ne manquent pas. Pourtant, je m'entends répondre : ce sera avec plaisir. Reliquat de bonne éducation ? Peur de faire naître une tension, une incompréhension entre lui et moi, si je dis non ? Soumission supplémentaire ? Ou désir malsain, informulable ? « Ce sera avec plaisir. » Une des expressions que je déteste le plus au monde.

La rencontre avec Isabelle a lieu quelques jours plus tard. C'est d'abord l'occasion pour moi de découvrir leur appartement : un petit deux pièces fonctionnel, moderne, lumineux, meublé de bric et de broc, mais sans faute de goût : je devine que les jeunes mariés ont additionné leurs mobiliers respectifs d'étudiants, je remarque qu'il y a peu de livres mais l'espace ne s'y prête pas. Quand je m'avance dans la pièce principale,

Isabelle s'affaire derrière l'îlot d'une cuisine américaine. Ce qui me frappe de prime abord, c'est sa vivacité, la rapidité de ses déplacements, de ses gestes. Ensuite, c'est la franchise de son sourire, la générosité de son accueil. Elle m'embrasse chaleureusement et me dit : ravie que tu sois là, en donnant l'impression de le penser réellement. Je tends maladroitement la bouteille que j'ai apportée. Elle s'en empare et ajoute : installe-toi, ce n'est pas prêt du tout, Paul va te servir un truc à boire en attendant. Et elle retourne derrière l'îlot tandis que Paul me conduit vers le salon. Il m'adresse un regard qui signifie : oui, elle est toujours comme ça. Énergique, hospitalière, familière. Se comportant comme si un étranger ne l'était pas, étranger. Acceptant la lubie de son époux (inviter ce type, moi). Se disant peut-être : encore un homo amoureux de mon mari, s'en amusant ou s'en félicitant en son for intérieur.

Car, d'un coup, c'est cela qui m'apparaît quand je vois le couple : elle sait que son mari plaît. Elle y est *habituée*.

Cette révélation d'ailleurs le rend plus désirable encore. L'image est soudain détachable. Elle existe indépendamment du décor, des alentours. Je peux prendre du recul et la contempler, cette image. Je contemple la silhouette, l'armature fine, la musculature du surfeur, les épaules rondes, je contemple le visage blême qui paraît triste et qui respire l'intelligence, les cheveux bouclés, je vois l'élégance générale, je devine la souplesse du corps dans les instants de la sensualité, le balancement des hanches, un mélange d'assurance et de délicatesse.

La vision ne fait que conforter l'élan qui me porte vers lui depuis le premier jour. Je devrais m'en trouver confus, embarrassé, compte tenu de la situation, être là avec son épouse, et c'est précisément le contraire qui se produit. Je devrais éprouver une culpabilité. Mais non. En fait, je comprends que c'est naturel de l'aimer. Que c'est *normal.*

Mais revenons à elle, la femme dans sa vie, dans ses jours et ses nuits. Isabelle est infirmière dans un des nombreux hôpitaux de Bordeaux. Elle me le confirme en expliquant depuis la cuisine qu'elle a quitté son travail plus tard que prévu à cause d'un patient récalcitrant. Elle est affectée dans une unité psychiatrique. Elle dit avec une infinie tendresse : je les adore, mes fous, tu ne peux pas savoir ! Puis ajoute : bien sûr, parfois, ils sont un peu pénibles, et il y en a même qui peuvent être dangereux, pour les autres, pour eux-mêmes, mais on est quand même *au plus près de l'humain.* Je me rappelle cette phrase avec précision. Sur l'instant, j'y décèle une contradiction : si la folie est humaine, elle n'est pas pour autant l'essence de l'humain et l'homme se définit avant tout par sa raison. Pourtant je la comprends. Elle signifie que cette perte de contrôle, ces impulsions soudaines, ces troubles du comportement disent aussi parfois une vérité intime, sans filtre, sans fard. Et que le lien entre le malade et le soignant relève de la plus pure humanité. Je songe aussitôt qu'il va m'être très difficile de ne pas tomber sous le charme d'une fille « qui adore les fous ».

Et, au fond, Paul ne m'a-t-il pas convié pour cette seule raison ? Me défendre de l'aimer, lui, parce que j'éprouverais de la sympathie pour sa femme et que je me refuserais à lui faire du mal. Me faire comprendre que je serais un salaud si je saccageais le bonheur conjugal de cette femme-là. Il l'utiliserait comme un paratonnerre.

Tandis qu'elle continue à s'affairer, tout en racontant sa journée, en égrenant les anecdotes, accumulant les digressions, Paul et moi, on ne dit presque rien, on se contente de ponctuer d'un hochement de tête, d'un sourire, mais on est imperceptiblement encombrés de nos corps, on a le regard qui fuit et inlassablement revient à l'autre, on boit des gorgées de vin pour s'occuper les mains, l'intimité resurgit, le désir peut-être, oui c'est une chose terrible qui se produit : le charmant babil au lieu de capter notre attention nous éloigne d'elle, la femme qui parle, qui parle trop, nous enveloppe dans une bulle où on ne serait que tous les deux, lui et moi, vous savez ces gigantesques bulles de savon aux pourtours multicolores que produisent les forains dans les fêtes pour attirer les enfants, son monologue délicieux et inconsistant nous détache d'elle, nous rapproche, lui et moi, comme si, cette fois, on se tenait debout sur un bloc de glace soudain décroché de la banquise, la distance avec elle se creuse, le monologue devient un bourdonnement inintelligible, ne subsistent que les deux garçons debout l'un à côté de l'autre, dans leur bulle ou sur leur bloc, inséparables. Je dis : je reprendrais bien du vin blanc. On revient en une fraction de seconde dans le réel, la bulle éclate, le bloc se raccroche.

Après, je me souviens que nous sommes à table, ils sont assis côte à côte, je leur fais face. Naturellement, je les interroge sur leur rencontre, il ne m'en a jamais parlé et je ne l'ai jamais questionné, il était entendu entre nous sans qu'on le formule que ce n'était pas un sujet de conversation (que ça ne pouvait pas en être un ?). Elle s'étonne de cette impasse, lui demande en plaisantant s'il « a honte », il baisse les yeux. C'est elle qui raconte en attaquant son deuxième verre de vin. Elle dit que c'était en été à Hossegor, ils avaient tous les deux vingt ans, elle était en vacances au camping avec des copines, il était revenu sur les lieux de son enfance pour quelques jours. Elle le repère sur la plage, il se tient debout à côté de sa planche de surf, elle est étendue sur une serviette. Elle dit : ça fait tellement cliché quand j'y repense. Et elle rit. Elle ajoute : c'est moi qui ai tout fait. Elle se tourne vers lui : hein que c'est vrai ? si je n'étais pas venue te draguer, on n'en serait pas là aujourd'hui. Il sourit dans la gêne. Ça commence comme une amourette. Elle s'en amuse : y a pas de mal, après tout. Ils se rendent compte qu'ils habitent Bordeaux tous les deux. Ils promettent de se revoir. C'est elle qui le rappelle en septembre. Elle s'offusque : il ne l'aurait pas fait, j'en suis sûre ! Il ne m'aurait pas rappelée ! Ils se revoient. Ça devient de l'amour. Ils sont jeunes pourtant. À l'orée de leurs vies. Ils pourraient vouloir multiplier les expériences mais non. Elle dit : on a compris très vite qu'on était *bien ensemble*, qu'on n'avait pas envie d'aller voir ailleurs. Elle débute dans la vie active, touche son premier salaire, il est encore étudiant, ils décident de prendre un appartement. Elle dit : ça s'est fait naturellement, je ne crois même pas qu'on l'ait décidé. Il se laisse faire. Pendant le récit, il arrive à Isabelle de poser sa main sur son avant-bras à lui ou d'incliner sa tête sur son épaule. Elle n'y met aucune ostentation, à l'évidence il s'agit de gestes ordinaires. Elle ne se comporte pas en propriétaire jalouse, juste en épouse aimante. Lui, je le sens embarrassé, je présume qu'il n'aime pas tellement la tendresse quand elle est publique, je me demande si l'embarras peut venir de moi (il est si visible et je n'ai pas oublié le moment de la bulle, du bloc). Alors il se reprend, se gonfle de fierté (là, je devine qu'il surjoue). Elle dit : voilà, ça fait quatre ans maintenant. J'ose : mais pourquoi le mariage ? c'est rare de se marier si jeune. Quand je prononce la phrase, je le fixe, lui, j'encastre mon regard dans le sien. C'est encore elle qui répond : parce qu'on veut des enfants ; et moi, je ne veux pas d'enfant hors mariage, c'est mon côté vieille France. Et elle part d'un rire de gorge. Elle ajoute : je viens d'une famille catho, ça a peut-être joué aussi. Je dis : vous voulez des enfants ? (j'insiste sur le *vous*). Elle dit : on essaie d'en faire un. Elle n'a pas entendu l'insistance, elle est toute à son récit.

J'en ressors avec la conviction qu'il n'a pas décidé grand-chose dans cette histoire, que ça continue, et que ça l'arrange. La conviction qu'en dépit des apparences, de l'assurance affichée, il est un garçon fragile et que les garçons fragiles trouvent leur salut grâce aux filles puissantes. La conviction qu'il est un garçon indécis et que les garçons indécis s'en remettent aux filles résolues.

Je visualise l'enfant du lac, seul sur sa barque, qui contemple les envols et je songe que c'était déjà là, l'indétermination, la perplexité. Je visualise le surfeur sur la vague et je comprends qu'il n'est pas seulement conquérant, ce surfeur, il est aussi en train de chercher l'équilibre. Je revois l'étudiant du premier jour, à la lisière de l'arrogance, et je comprends qu'il annonce le compagnon de bar, accroché à sa bière, au bord des aveux. Je pense à la phrase de Prévert qui guidera plus tard si souvent mon écriture : « Je peins, malgré moi, les choses derrière les choses. Quand je peins un nageur, je vois un noyé. »

Isabelle me questionne alors sur mes origines. À mesure que je lui réponds, je prends conscience qu'en réalité, elle ne sait presque rien de moi. Avec quoi – vraiment – a-t-il éveillé sa curiosité ? À moins qu'elle soit le genre de femme à adorer organiser des dîners, rencontrer des inconnus, sorte de Mrs Dalloway moderne qui interpréterait à merveille le rôle de l'hôtesse. Ou bien elle escompte que ce genre de distraction vienne occulter le conformisme de leur existence. Ou elle a une confiance aveugle en son mari, en son jugement ; c'est cela, le mariage peut-être. Ou encore, à l'inverse, elle tient à surveiller ses fréquentations ; il ne faudrait pas qu'il s'égare.

Paul ne s'exprimera presque pas au cours du dîner, se tiendra en retrait. Pourtant, je finirai par admettre que son espoir n'était pas que je devienne ami avec sa compagne dans le but d'éteindre le trouble qu'il provoque chez moi, ni que je découvre son quotidien en vue d'admettre l'impossibilité d'une relation entre nous deux. Il poursuivait d'autres objectifs, moins nobles, et surtout plus égoïstes : rassurer son épouse (non, je ne constituais pas un danger) et évaluer les forces en les mettant en présence (je ne serais qu'une baudruche qui se dégonfle, une illusion qui s'évanouit ou, au contraire, je deviendrais une hypothèse sérieuse).

Quand il me raccompagne sur le parvis de l'immeuble à la nuit tombée, je ne le sais pas encore mais il vient d'obtenir les réponses à ses questions.

Ça arrive deux ou trois jours après. Je le croise dans les couloirs, il dit : faut qu'on se voie. J'entends la nécessité. Je dis : d'accord. Je ne demande pas pourquoi. Je ne manifeste pas d'inquiétude ni d'impatience. Je demande quand et où avec une certaine froideur. Il dit : quinze heures au Pala. Visiblement, il y a réfléchi avant. J'ai cours à cette heure-là, je n'objecte rien, je dis : j'y serai. Je me souviens de Thomas Andrieu, dans l'hiver de mes dix-sept ans, me fixant ce même genre de rendez-vous impérieux.

Jusqu'à quinze heures, je ne pense plus qu'à ça, évidemment, je suis avec les autres dans la salle de cours, cependant mon esprit est ailleurs mais personne ne remarque mon inattention. Je pense au Pala, je fréquentais ce bar quand j'étais en prépa HEC, au lycée Montaigne, juste à côté, on quittait l'internat et on venait là, on n'avait que quelques mètres à parcourir, les bières n'étaient pas chères, le lieu était prisé par les étudiants, des clodos faisaient la manche juste à côté, des punks à chiens pissaient contre les murs. Nous n'y sommes allés qu'une seule fois ensemble, Paul et moi, j'ignore pourquoi il a choisi cet endroit.

Quand j'arrive, il n'est pas là, j'ai beau le chercher du regard, je ne le trouve pas, je vais m'asseoir près d'une fenêtre, ainsi il me repérera tout de suite quand il entrera. Les minutes passent, et il ne se présente pas. Il n'y a pas de téléphone portable à cette époque, les gens ne sont pas joignables, on est condamné à attendre sans savoir, c'est presque inimaginable aujourd'hui.

Je continue à patienter. Ça dure longtemps, ma solitude dans le vacarme du café, mes regards affolés vers la porte d'entrée, vers la grosse horloge accrochée au mur, mes doigts noués autour de la pinte.

Paul Darrigrand ne viendra jamais ce jour-là. Il n'honore pas le rendez-vous qu'il a lui-même fixé.

Plus tard, il dira : j'ai eu peur.

(Sa défection, évidemment, était un aveu.)

Si je respecte la chronologie, à ce stade de mon récit, je me dois d'évoquer Matthieu. Comment faire autrement ? J'ai fait sa connaissance en Normandie trois ans plus tôt, c'est même un des premiers garçons avec qui j'ai couché là-bas. Il sirotait un verre à la Souricière où j'étais entré presque par hasard (je crois que c'est la pluie qui m'y avait conduit, de ces pluies froides qui embuent les lunettes, font dégouliner les cheveux). Après quelques bières, après m'être réchauffé, c'est moi qui étais allé lui parler (j'étais un peu ivre, l'ivresse lève mes inhibitions). J'avais d'emblée été attiré par les cheveux noirs, les yeux verts en amande, la peau de fille, je n'avais vu que ça, ça m'avait aimanté. Je donnerai ces attributs à Vincent de L'Étoile lorsque j'écrirai *En l'absence des hommes*. (Chaque fois que je buterai, que l'écriture résistera, il me suffira de repenser à lui, à son visage pour que ça se réarme, que ça reparte.) Il y avait aussi son extrême timidité, éclatante, corrigée par une grande agitation, ou plutôt une grande maladresse. Il n'avait pas conscience de sa beauté alors, cela viendra plus tard, et c'est probablement cette prise de conscience qui scellera son destin. Ce soir de 1985, il est encore en plein doute, en pleine recherche, j'ai un an de moins que lui et pourtant, c'est moi qui mène la danse, qui ai raison de ses défenses, qui l'embrasse par surprise (et il regarde aussitôt aux alentours, comme un voleur persuadé d'avoir été démasqué), moi qui l'entraîne dehors, qui l'enlace sur un trottoir luisant, qui le ramène chez moi, dans la chambre au papier peint vert. Notre liaison sera brève mais elle débouchera sur une tendre affection. Pendant mes années rouennaises, nous nous reverrons régulièrement, sans plus jamais coucher ensemble, simplement pour parler du cours de nos existences. Globalement, je m'ennuie tandis qu'il se met à multiplier les rencontres, les aventures ; et il ne se montre pas prudent. Il faut dire qu'on n'y croit pas trop à ce mal qui rôde, on sait si peu de chose encore à son sujet, et il se raconte tellement d'extravagances. Ou, si on y croit, on se dit qu'il n'est pas pour nous, qu'on sera épargnés. Matthieu ne sera pas épargné. Il tombe malade. Au début, à cause de l'ignorance ou de l'incrédulité, il ne se méfie pas de ses fièvres, de ses nausées, de sa fatigue. Ne consulte aucun médecin.

C'est quand les taches apparaissent sur son torse qu'il comprend. À ce moment-là, il est trop tard. À ce moment-là, la maladie fait des progrès foudroyants que rien n'arrête, que rien même ne ralentit. Quand je quitte Rouen en juin 88, on se revoit une dernière fois. Je suis frappé par sa maigreur. Le mal dévore son visage. Et cependant, la beauté demeure. Au cours de l'été, on se parle au téléphone, il m'assure qu'il va bien, je devine qu'il me ment. En octobre, il m'écrit une lettre, il prétend qu'il se bat contre la « saloperie », dit qu'il ne faut pas venir lui rendre visite pour le moment, qu'il ira mieux au printemps. Dans les premiers jours de décembre 88, je reçois à Bordeaux un appel d'un de ses amis, il a d'abord joint mes parents à Barbezieux, c'est ma mère qui lui a confié le numéro de ma logeuse, et c'est ma logeuse qui vient me chercher dans ma chambre, me conduit au téléphone, me tend le combiné. Les mots dans mon oreille sont d'une absolue simplicité. Je ne réponds rien. Alors l'ami les répète. Je dis : oui oui j'ai compris. Devant moi, ma logeuse avec son visage fripé, strié de rides. Autour de moi, le salon ancien, les meubles d'un autre temps. Dans mon oreille, la mort d'un jeune homme de vingt-deux ans. J'ai beau savoir qu'il arrive souvent qu'on meure à vingt-deux ans dans ces années-là, je n'en suis pas moins dévasté. Je revois le sourire, la maladresse, les yeux verts en amande, la peau de fille. Tout ça saccagé. Tout ça envoyé au néant. Trois jours plus tard, un samedi de crachin, je retournerai à Rouen. J'y retournerai pour mettre en terre le garçon de vingt-deux ans. Une fois les obsèques achevées, je resterai dans le cimetière, me tenant à l'écart, attendant que l'assemblée se disperse, attendant qu'il ne subsiste que les employés des Pompes funèbres, ceux chargés de terminer le travail. Je les regarderai faire de loin. Et quand, à leur tour, ils quitteront les lieux, je m'approcherai de la tombe et j'irai parler au disparu. Quelquefois, il me semble que c'est cela que je suis avant tout, un type debout qui parle à des tombes.

Ça commence avec lui, le dialogue avec les disparus. Ça n'a plus jamais cessé depuis.

À mon retour à Bordeaux, je ne dis rien, je n'évoque pas l'aller-retour en Normandie, je ne prononce même pas le prénom du défunt, je conserve tout par-devers moi, comme on garde un secret, la mort peut être un secret, un secret intime terrible et merveilleux, mais j'émets l'idée d'un séjour dans l'île de Ré. Je dis : si on partait quelques jours juste avant Noël ? Je connais une maison qu'on pourrait nous prêter. Le séjour est décidé en à peine quelques heures. Philippe et Catherine, Denis et Nathalie, sa fiancée, seront du voyage. Ont-ils aperçu ma tristesse pour accepter aussi vite ? Sans réfléchir, je propose à Paul de se joindre à nous (oui, sans réfléchir parce que, sinon, je n'aurais pas osé, ou j'aurais maladroitement lancé l'invitation, si maladroitement qu'il lui aurait été facile de la décliner). J'ajoute, soudain paniqué, et pour corriger mon audace : ta femme est la bienvenue, évidemment (je crois bien qu'en effet, je dis : ta femme ; je mets cette distance, ce dédain). Il dit : c'est d'accord, je viendrai, mais je viendrai seul, Isabelle est d'astreinte pour les fêtes, elle ne peut pas quitter l'hôpital.

(Je songe : sans la mort de Matthieu, sans le chagrin, rien, peut-être, ne serait advenu.)

On arrive dans l'île le samedi 17 décembre. On emprunte le pont, inauguré quelques mois plus tôt. J'explique que je regrette le bac, que j'aimais l'attente à l'embarcadère, même sous un soleil de plomb, la montée des voitures rangées en file indienne sous la direction de marins d'opérette, la traversée, l'écume dans notre sillage, l'odeur de carburant dans l'air maritime, la côte qui se dessinait, le débarquement à Sablanceaux. On se moque gentiment de ma nostalgie, personne ne se rend compte que j'accomplis le deuil de mon enfance.

On est venus à deux voitures, celle de Paul et celle de Denis. On roule en direction d'Ars-en-Ré. Il fait un temps épouvantable : une sorte de crachin s'abat sur nous, le ciel est bas et lourd, l'île est déserte, ils disent, en riant : ça ne ressemble pas du tout à ce que tu nous as promis. Je leur vante la beauté des pins parasols sous la pluie, celle des chênes verts dans les sous-bois, je leur parle des chemins de dunes, des petites falaises de La Flotte, des venelles qui abritent les roses trémières quand revient le printemps, je leur raconte comme je ramassais des galets, je leur promets qu'ils vont adorer les marais salants mais rien n'y fait, ils ne voient que la bruine, la grisaille. Ils se moquent encore de moi.

Au cours de ma vie, je connaîtrai des endroits qui me plairont infiniment, me marqueront profondément, le front de mer de Cambria, à mi-chemin entre Los Angeles et San Francisco, avec ses rochers de grès rouge, la baie de Baracoa, à Cuba, où trônait un paquebot accidenté et rouillé, les lacets de la campagne toscane, en automne, mais rien n'aura la force de cette évidence.

Parce que l'amour de l'île, c'est le souvenir des jours heureux et le regret des jours heureux.

Et qu'est-ce qui peut battre ça ?

Il nous faut trente minutes pour parvenir à destination. La clé de la maison est « cachée » sous une pierre, à côté de la porte d'entrée (cette pratique a presque disparu, me semble-t-il ; aujourd'hui on a peur, on a moins confiance sans doute). Quand on franchit le seuil, ça sent le renfermé, l'humidité, le parfum des maisons qu'on a laissées vieillir aussi. Mais on est heureux d'être arrivés à bon port, de se mettre à l'abri. Quelqu'un, je crois, parle d'allumer un feu. Presque aussitôt, se pose la question de la répartition des trois chambres : elle est réglée rapidement, les deux chambres dotées d'un grand lit accueilleront les couples, celle meublée de deux petits lits accueilleront les deux garçons, l'un dépareillé, l'autre solitaire.

Tout est en place.

Je me souviens mal des premières heures, je suppose que nous marchons jusqu'au port d'Ars malgré le mauvais temps, que nous prenons un verre au Café du Commerce, que nous faisons des provisions pour le soir et les jours suivants, je ne me souviens pas de la plage, ce jour-là, du sable qui aurait collé aux chaussures, je me demande si la fameuse photo est prise dès ce premier jour, si Denis a emporté son appareil avec lui, s'il n'a pas pu attendre, je revois en revanche le soir venu très vite, la grande pièce à vivre, avec sa table en chêne au milieu, un dîner joyeux, désordonné, alcoolisé, les verres qu'on vide, je ne sais plus de quoi nous avons parlé, mais j'entends encore les exclamations, à un moment on se met à jouer au tarot, quelqu'un ne participe pas puisque nous sommes six, probablement Nathalie, je la visualise assise sur le canapé, les jambes repliées sous elle, il n'y a pas de télé, uniquement un poste de radio, qui diffuse de la musique, il n'y a pas d'actualité, pas d'informations, on est coupés du dehors, on joue aux cartes jusque tard dans la nuit, on est épuisés pourtant, je redoute et j'attends le moment où nous irons nous coucher, et puis ça arrive, quelqu'un donne le signal, quelqu'un lance : il est tard, je tombe de fatigue, des mots comme ça, peut-être Catherine, et tout le monde est d'accord, tout le monde se lève au même instant, on abandonne le désordre sur la table en chêne, les verres et les bouteilles vides, le jeu de cartes, on dit qu'on rangera demain matin, qu'on est en vacances, on se salue brièvement, les couples gagnent leurs chambres, Paul et moi on se dirige dans la nôtre, je ne me souviens pas de Paul pendant le dîner, ni même pendant la partie de cartes, c'est comme s'il n'avait pas parlé, comme s'il s'était tenu légèrement en retrait, mais je me souviens de lui quand on n'est plus que tous les deux dans la chambre, là, l'image est très précise, les lits sont plaqués chacun contre un mur, ce sont des lits de 80, au milieu il y a une fenêtre, il ferme les volets, je me souviens du souffle du vent quand il fait ça, des bourrasques de pluie, du froid qui s'engouffre dans la pièce et du calme soudain revenu, reconquis, je me souviens du silence juste après, on se déshabille sans dire un mot, sans s'adresser un regard, même à la dérobée, et puis on se couche, on éteint la lumière, on se souhaite bonne nuit rapidement, sauf qu'on ne s'endort pas, malgré l'épuisement, l'ivresse, on ne s'endort pas, on le sait lui et moi malgré le noir de la chambre, on le sait au souffle de l'autre, qui n'est pas le souffle d'une personne qui dort, on le sait aux mouvements dans le lit, au frottement des draps, je me souviens du cognement de mon cœur, ce que j'éprouve alors c'est de la terreur, de la terreur et rien d'autre, ça pourrait être du désir, de la frustration et c'est rien de tout ça, de la terreur, je vous dis, et puis je l'entends qui se lève, c'est lui qui le fait, pas moi, c'est lui qui ose, pas moi, moi je n'y serais pas allé, je ne me serais pas levé, je me connais, et j'ai compris que c'est lui qui décide, que je suis à sa merci de toute façon, il s'approche du lit, s'assoit sur le rebord dans la pénombre, c'est étrange, il ne vient pas se coucher contre mon flanc, non, il s'assoit, comme le ferait une mère avec son fils apeuré, il reste quelques instants comme ça, sans plus bouger, sans rien dire, je distingue sa silhouette mais je ne vois pas son visage à cause du noir, finalement il pose une main sur ma hanche, et ce geste provoque aussitôt chez moi des larmes, oui, des larmes, comme un chagrin immense, ou un chagrin d'enfant, et Paul, je le sens décontenancé par ces sanglots imprévisibles, démuni, alors il tente de m'apaiser, il a ce réflexe, il m'enlace, il me serre contre lui, pour calmer les larmes, il me serre plus fort encore, les baisers ne viennent qu'après, après la consolation, et avec les baisers, tout le désir accumulé, amassé, jusque-là réprimé, alors ça devient un corps-à-corps, presque une lutte, une urgence en tout cas, un entremêlement, on se fait mal, on se cogne par maladresse, le lit est trop petit, on roule par terre, c'est froid mais c'est sans importance, l'amour se fait, il dure longtemps.

Le lendemain matin, quand je me réveille, nous sommes chacun étendus dans notre lit. J'ignore comment c'est advenu. Je suppose qu'il nous a semblé plus confortable de rejoindre chacun notre espace, quand le sommeil nous a rattrapés. Peut-être également avons-nous craint d'être surpris au petit matin par l'un des habitants qui aurait eu l'idée saugrenue d'entrer par effraction. Puisque, sans avoir besoin de le formuler, nous avons posé, établi que tout devrait demeurer ignoré (l'adultère – c'est cela *aussi*, cette chose entre nous, employons les termes exacts – est généralement voué à la clandestinité). Paul dort. Je pourrais aller le réveiller, au moins m'approcher de lui, l'effleurer, je connais son corps désormais, je connais sa peau, sa sueur, son souffle, et cependant je devine qu'il répugnerait à cette sentimentalité. Mais surtout je ne sais pas, je ne sais pas du tout, ce qu'il entend *faire* de la nuit dernière. Voudra-t-il se comporter comme si rien n'avait eu lieu, comme s'il importait de tout oublier, de tout effacer ? Ou, au contraire, reconnaîtra-t-il que notre étreinte ne peut pas demeurer sans lendemain ? Moi, je sais déjà que j'ai envie que ça continue, ce qui a débuté dans l'obscurité, les sanglots, la jouissance, je suis encore dans l'émerveillement, l'éblouissement, et je cherche à comprendre. Cependant, j'ai déjà admis que je me plierai à son choix, que tout procède de lui, que ma volonté compte pour rien.

Quand je rejoins la grande pièce, les autres sont déjà installés autour de la table. Du café a été préparé, quelqu'un a visiblement eu le courage de sortir acheter du pain frais, on étale de la confiture, les mines sont chiffonnées, reliquat de l'ivrognerie et de la nuit trop courte, la radio grésille. On me demande si j'ai bien dormi. J'entends « Sign Your Name » de Terence Trent D'Arby à la radio. Je dis que j'adore cette chanson. Je m'assois avec les autres. Personne ne me regarde. Je pense : ça ne se voit pas, l'amour sur moi, la jouissance arrachée dans la nuit, ça a laissé des traces pourtant, sur ma peau, sous les vêtements rapidement enfilés, je sens le sperme séché, la sueur nichée sous les aisselles, mais c'est caché, et mon visage ne trahit rien, ni extase ni douleur, et eux, de toute façon, les autres, ils sont encore ensommeillés et puis ils n'ont pas de raison d'être particulièrement attentifs, si c'était visible ça pourrait leur échapper malgré tout, je suis soulagé d'être l'insoupçonnable. À la radio, maintenant, on passe « Man in the Mirror » de Michael Jackson, quelqu'un dit : je préférais ses chansons d'avant, je verse du café dans un bol. Et Paul finit par apparaître. Et tous les autres s'écrient en chœur : il y en a un qui n'a pas assez dormi ! Il est vrai que sa blancheur est frappante, son regard refuse la lumière, tous ses traits sont tirés et ses boucles brunes sont emmêlées. Personne ne se risque à une blague graveleuse. Il s'efforce de sourire.

Je suis bouleversé par le sourire hésitant de Paul Darrigrand dans le matin du jour d'après.

Je voudrais lui dire : je te sers un café ? mais je me tais, je m'oblige au silence, il ne faut pas que je me distingue, Catherine formule la proposition à ma place, il dit qu'il veut bien, il s'assoit, à l'autre bout de la table, au plus loin de moi, il attend qu'on lui apporte un café, frottant son visage, sortant lentement des limbes, la conversation reprend, je n'écoute pas vraiment, je hoche la tête, je m'efforce de ne pas regarder dans la direction de Paul. Puis on essaie de déterminer un programme pour la journée, on me demande « ce qu'il y a à voir », je me concentre sur mes réponses, ils disent que ça a l'air bien, que je raconte bien. Paul reste en dehors, tel un spectateur au bord d'un court de tennis, que n'intéresse pas un échange de balles molles, de coups amortis, il boit son café. Reposant son bol, il finit par dire : je vais sur la terrasse, l'air frais me fera du bien. Personne ne prête attention à ses propos. Il se lève.

Tandis qu'il ouvre la baie vitrée, il se retourne vers moi et lance : Philippe, tu m'accompagnes ?

J'acquiesce, comme un enfant puni.

On se retrouve tous les deux sur la terrasse, on referme la baie vitrée, on tourne le dos aux autres restés attablés, on n'entend plus ce qu'ils se disent, on n'entend plus les chansons à la radio, on ne se regarde pas, on regarde en face de nous. Le froid de décembre nous saisit.

D'abord, il n'y a pas un mot. Pas un. Et puis, sans faire le moindre mouvement, le regard toujours droit devant, il murmure : *on savait que ça arriverait.*

Plus tard, il s'expliquera, il dira qu'au fond, c'était là dès le premier instant, il dira qu'il ne m'a pas trouvé beau pourtant, pas séduisant, le premier jour, non, il a simplement compris d'emblée que c'était *possible*, alors il a eu cet élan, venir vers moi, il prétendra qu'il s'agissait d'une provocation, il pensait que ce serait sans conséquence, il avait envie de s'amuser, voilà tout, et il s'est laissé prendre à son propre jeu, quand il a essayé de s'en dépêtrer c'était trop tard, il dit qu'il a lutté mais que ça ne servait plus à rien. Il en parle comme d'une chose *inévitable*.

Je retiens l'expression : c'était *possible*. Je songe : nous nous sommes croisés à peine un instant, ce fameux premier jour, je l'ai simplement bousculé, je me suis excusé, j'ai filé. Comment on *voit* que c'est possible dans une séquence aussi courte ? Je ne lui pose pas la question sur le moment mais quelques semaines après. D'abord, il élude, il dit : je ne sais pas, c'est comme ça. J'insiste. Il dit : c'est à cause du regard. Je ne comprends pas. Il dit : oui, il y avait de l'affolement dans ton regard, mais surtout il a duré une seconde de trop, un autre que toi ne se serait même pas arrêté, aurait passé son chemin, toi tu n'as pas pu t'empêcher, tu t'es immobilisé, tu as eu besoin de me fixer, malgré toi, vraiment ça n'a duré qu'une seconde mais ça a suffi, je t'assure.

Pendant longtemps, je penserai : tant de ma vie s'est décidé en une seconde.

Je retiens aussi la provocation. Il ne fait pas de doute qu'il peut se montrer provocant. Il y a chez lui de l'effronterie, de l'insolence, et le goût d'aguicher, ou de piquer au vif. Je suis finalement stupéfait et ravi de comprendre que le piège s'est refermé sur lui, que soudain il n'a plus été capable d'y échapper, qu'il a perdu le contrôle. Je suis troublé et fier d'avoir réussi, peut-être sans le vouloir, ce prodige.

Quand on est sur la terrasse, après l'énoncé de l'*inévitable*, je songe que je voudrais savoir s'il fait ça souvent, coucher avec des garçons, répondre à l'appel du possible, si je viens après beaucoup d'autres, ou, si au contraire, il s'agit d'une rareté, ou même d'un événement sans précédent. L'information serait utile. Je saurais ce que je représente, je devinerais à quoi m'attendre. Car c'est une chose d'être l'un des amants occasionnels d'un homosexuel dissimulé, c'en est une autre d'être sans analogie. Je ne pose pas la question. Pas le courage. Ou j'espère qu'il y répondra sans que j'aie besoin de la formuler.

Il s'en tient au silence. Je me souviens du silence. De la terrasse, d'un pin parasol, de décembre.

Il faudrait que l'un de nous allume une cigarette pour que la séquence, vue de l'autre côté de la vitre, ne paraisse pas étrange mais non, les mains restent inoccupées, les bras ballants. Je me demande ce qu'ils pensent, les autres, encore assis autour de la table, dans la bonne odeur de café et de confiture, s'ils nous observent, plantés là, dos à eux, immobiles, n'échangeant aucune parole. Sans doute, nous ne les intéressons pas. Peut-être Catherine dit-elle : ils vont prendre froid.

Je finis par lancer : on fait quoi maintenant ? (je tremble en le disant, je tremble réellement, s'il me touchait il sentirait les tremblements, peut-être les a-t-il perçus dans ma voix, ça pourrait me désarticuler, des tremblements pareils, et le froid du presque hiver n'en est pas seul responsable ; la réponse c'est un embarquement ou c'est la mort).

Il répond du tac au tac : on fait gaffe.

Il ne dit pas : on arrête. Il ne dit pas non plus : on fait comme s'il ne s'était rien passé. Il dit ces trois mots : on fait gaffe. Il est dans cette frugalité, cette trivialité. Et avec les trois mots, l'histoire continue. Elle n'est pas mort-née. Elle existe. L'histoire existe.

Plutôt que d'exulter, je songe aux conditions qu'il pose : il réclame le secret, la duplicité. Ça, je connais. J'ai déjà pratiqué la dissimulation, l'extrême prudence. À croire qu'on ne peut pas m'aimer au grand jour.

(J'emploie le verbe aimer : c'est une facilité, bien sûr.)

Quand même, pendant longtemps, je me demanderai pourquoi je suis si souvent tombé sur des hommes qui ne voulaient pas que *ça se sache*. Qu'on me comprenne : le reproche, je ne l'adresse pas à eux, j'ai bien saisi les raisons de leur mutisme, non, je l'adresse à moi. Pourquoi a-t-il fallu que je me dirige vers ceux-là qui ne m'ont accepté qu'à la condition que je sois occulté ? Je présume que cela signifie quelque chose.

Dans la foulée (oui, ça commence dès le matin d'Ars-en-Ré, ça n'attend pas), je me pose une autre question : s'agit-il d'un simple adultère ou d'une *vraie* histoire ? Je sais, elle est banale à pleurer, cette question, on a presque honte de la formuler, on s'en veut ; c'est celle que se posent toutes les maîtresses des hommes mariés.

Cette interrogation deviendra progressivement obsédante. Est-ce que je compte ou est-ce que je suis accessoire ? Est-ce qu'il y a un peu d'amour, est-ce qu'il pourrait y en avoir un jour ou tout n'est-il pour lui qu'un dérivatif, un divertissement ? Pourrait-il être ébranlé dans ses certitudes, ses habitudes ? Ai-je ouvert une brèche, une lézarde, puisque, tout de même, je l'ai conduit à la trahison de ses engagements, puisque j'ai eu raison de son aplomb ? Ou ai-je simplement comblé un désir ? Dans le gel de décembre, je n'en suis qu'aux prémices, la question est très prématurée, je la chasse donc de mon esprit.

Il dit : si on rentrait ? Je dis : d'accord. Je dis d'accord à tout. Je le suis. Et quand il se retourne avant de se diriger vers la baie vitrée, il m'adresse un sourire, un sourire très bref mais inoubliable. Un sourire d'une seconde.

Et moi, je fais tout entrer dans ce sourire : le souvenir de sa peau dans la nuit, les baisers affamés, les corps en lutte, et finalement repus, épuisés, l'apparition matinale, le froid qui pique sur la terrasse, les mots, on savait que ça arriverait, on fait gaffe, la connivence coupable, la collusion magnifique des salauds.

Car, d'emblée, j'admets que nous faisons une victime : l'épouse légitime, désormais bafouée. La femme admirable, qui s'occupe des fous, m'accueille les bras ouverts, raconte son bonheur avec candeur, verse du vin dans mon verre, se renverse sur le dos d'un canapé, m'embrasse quand je repars en me faisant promettre de revenir bientôt, qui me dit, la veille du départ pour l'île de Ré : prends soin de mon mari, cette femme-là, désormais trompée, offensée, condamnée à l'être encore puisqu'on ne pourra pas se passer du toucher des peaux, du combat des corps, puisqu'on vient de le décider.

(Il lui téléphonera quotidiennement pendant notre séjour, il se rend dans une cabine sur la place du village, avec un peu de monnaie, il lui donne des nouvelles, il parle du temps qu'il fait, des bords de mer sous la grisaille, lui demande comment ça va à l'hôpital, ne laisse rien paraître, j'ignore s'il lui dit : tu me manques, s'il va jusqu'à cette infamie, il lui accorde quelques minutes, le temps de dépenser les pièces, puis raccroche.)

Après, les jours n'ont plus aucune importance. Ils passent. C'est tout.

Il y a une virée au phare des Baleines, des pas en équilibre, les bras à la perpendiculaire du corps, sur l'anse de rochers en contrebas, une marche contre le vent le long des dunes aux Portes, une promenade à vélo sur la route qui conduit à la presqu'île de Loix, bordée de marais salants (où les avions-nous dénichés, ces vélos ? ils devaient être disponibles dans le garage de la maison, ils devaient ne servir que l'été), des heures aux terrasses désertes des cafés de Saint-Martin (on est emmitouflés, on grelotte, les habitants nous contemplent avec amusement ou dédain), des gaufres dévorées et la poudre du sucre glace qui vient se ficher sur nos cabans, la visite de la plage Saint-Sauveur à La Noue (parce que je tiens à leur montrer le lieu de mon enfance, ils sont indisposés par l'odeur de varech mais Paul se rappelle que je lui en ai parlé un jour, de cette plage, il me sourit sans que les autres ne remarquent rien), les photos prises par Denis à tout bout de champ, des moments paresseux dans la maison, des tarots encore, des chansons idiotes et douces à la radio et je ne sais plus quoi.

Non, ce qui compte, c'est les nuits.

J'attends les nuits.

Elles reviennent et avec elles, les bouches qui se dévorent dès la porte fermée, les étreintes urgentes, mon dos plaqué contre le mur, sa main qui se resserre autour de mon cou, les corps renversés sur le lit, les gémissements contenus, réprimés pour que nul ne les entende, les vêtements éparpillés, les torses caressés fiévreusement, les sexes empoignés, il faut du temps avant qu'une douceur puisse advenir, un ralentissement, mais ça advient quand il s'agit de retenir le plaisir, de reculer la jouissance, de faire durer la communion, quand on comprend que le temps jusqu'au petit matin nous appartient, qu'il sera long, qu'il sera ce que nous en ferons.

(Des années plus tard, disons entre mes trente et mes trente-cinq ans, quand la vie m'amènera ici ou là, dans des villes inconnues, pour une nuit, ou quelques semaines, et qu'ayant gagné en assurance et en désillusion, il m'arrivera, le soir venu, de me lancer à la recherche d'amants rapides, et ce bien avant les applications sur les téléphones intelligents qui vous livrent sur un plateau de la chair fraîche, à l'époque où il fallait traîner du côté des gares, des cinémas porno, se retrouver dans des parcs, fureter dans des lieux interlopes fréquentés par les seuls initiés, eh bien, presque toujours je connaîtrai cette voracité, et très souvent je la connaîtrai avec des hommes mariés, des hétéros affichés et insoupçonnables. Certains l'avoueront d'emblée, pour justifier le recours à la clandestinité. D'autres le confesseront du bout des lèvres, pour expliquer leur maladresse, leur terreur ou leurs requêtes particulières. Beaucoup ne révéleront rien et, cependant, je n'aurai aucun doute. Car j'ai appris à déchiffrer, sans le moindre risque de me tromper, leurs regards : ils sont empreints d'un désir et d'une souffrance *simultanés*, qui valent tous les aveux.)

Le 21 ou le 22 décembre, on doit repartir, rentrer à Bordeaux. On fait le ménage dans la maison, on remplit des sacs poubelles, on remet de l'ordre, on lave la vaisselle et on la range consciencieusement dans les placards, on passe le balai sur le carrelage, on replie les couvertures des lits, et puis on clôt les volets, on dépose les valises dans les coffres des voitures, on peut fermer la maison désormais, déposer la clé sous la pierre à côté de l'entrée. Parfois les gestes les plus simples sont les plus déchirants.

Dans les années 2000, je me porterai acquéreur d'une petite villa sur la côte atlantique et je m'y rendrai souvent aux beaux jours et j'éprouverai un déchirement analogue chaque fois qu'il me faudra la quitter, une fois l'été achevé. Car, chaque fois, ce sera la même scène : tout a été rangé à l'intérieur, nettoyé, le frigo a été vidé, l'électricité débranchée, l'eau coupée, je referme les volets, la lumière disparaît, le soleil sur le parquet blond, sur les murs de brique beige, les pièces plongent dans l'obscurité, puis je tourne la clé dans la serrure, c'est fini, il faudra traverser un automne, un hiver avant de revenir, je ferme le portail, un taxi m'attend pour me conduire à la gare, avant d'y monter je jette un dernier coup d'œil à la façade, je ne peux pas m'en empêcher, le taxi m'emmène, quand il tourne au coin de la rue je pourrais pleurer.

En fait, je mens : ce jour-là, dans l'île, la sensation n'est pas tout à fait la même. Ce n'est pas de quitter la maison qui m'emplit de tristesse, elle ne m'est pas assez familière, c'est de quitter le lieu de l'éblouissement.

Ce même 21 décembre, un Boeing 747 de la Pan Am, qui assure la liaison Londres-New York, explose en plein vol au-dessus de la petite ville écossaise de Lockerbie. Il cause la mort instantanée de deux cent cinquante-neuf passagers et membres d'équipage puis de onze villageois lorsque le fuselage et les réacteurs touchent le sol. La sidération est mondiale. D'autant que, très vite, il apparaît que l'appareil ne s'est pas désintégré accidentellement mais qu'une bombe a explosé à bord. Les soupçons se portent sur l'Iran, la Syrie avant que Kadhafi ne soit désigné comme le probable commanditaire. Aujourd'hui encore, l'attentat de Lockerbie, ainsi qu'on le désigne, hante les mémoires. Ce 21 décembre, nous, on n'écoute pas les informations, on ne sait rien de ces femmes et de ces hommes vaporisés en plein ciel, rien de ceux qui ont vu un déluge de feu s'abattre sur eux, on ne sait rien du fracas du monde, de la terreur à l'œuvre. On est dans notre bonheur égoïste et dans le chagrin des départs. Le reste n'existe pas. Nous sommes les ignorants, les irresponsables.

Dans la voiture, quand on repart après une halte sur un parking, et qu'on s'installe à l'arrière pour laisser Philippe conduire, Catherine ayant pris place à ses côtés, je touche la cuisse de Paul du bout de mes doigts, je caresse l'étoffe du pantalon, veillant à ne pas être démasqué. Il sourit, malgré lui. On est dans cette imbécillité.

Et puis, il faut fêter Noël en famille. D'ordinaire, je ne répugne pas à ces festivités. Et même pas du tout. Le soin que ma mère met à décorer le sapin toujours dans des teintes de rouge, à dresser une table de fête, les flûtes en cristal qu'elle ne sort que dans les grandes occasions et qu'on fait tinter, le cérémonial de l'échange des cadeaux, la joie non feinte de ma grand-mère (elle est souvent la seule honnêtement enchantée de ce qu'elle reçoit), le réveillon qui s'étire, la cire des bougies coulant sur la nappe, la bûche qu'on n'arrive pas à savourer parce qu'on a déjà trop mangé, le sommeil tardif, tout ça me plaît au fond, parce que c'est à la fois une réminiscence d'enfance et une façon de croire que la vie ne nous a pas dispersés. Mais ce réveillon-ci vire à la torture pour la simple raison que je voudrais être déjà en janvier afin de retrouver Paul Darrigrand, retrouver son odeur, l'espace de ses bras, ses boucles brunes, le goût de sa salive. Le reste du temps, les journées sont interminables, je suis vautré sur le canapé, regardant sans y prêter attention des épisodes de *Madame est servie*, je commence des livres sans en finir aucun, je m'enferme dans ma chambre pour écouter de la musique (je suis toujours fan de Goldman ; en 1988, il chante « Puisque tu pars », sa chanson la plus déchirante), au Club, le cinéma de Barbezieux, je vais voir *La Petite Voleuse* qui vient de sortir, je ne m'intéresse qu'à Simon de La Brosse que j'ai repéré l'année d'avant dans un film de Téchiné (et qui finira par se suicider dix ans plus tard, à l'âge de trente-deux ans) ; à croire que je cherche des dérivatifs.

(Étrange coïncidence : au moment où j'écris ces lignes, je reçois une lettre signée de… Jean-Jacques Goldman : il a lu *« Arrête avec tes mensonges »*, dit en avoir été « bouleversé ». Aussitôt, je pense : je l'ai tellement attendue, cette lettre. Enfin, pas cette lettre-là, bien sûr, mais disons : *des mots qui seraient de lui*. Car je lui avais écrit jadis, comme on lance une bouteille à la mer et il ne m'avait pas répondu. Pour expliquer son silence, j'avais fini par admettre qu'il était embarqué dans quelque chose qui devait ne lui laisser que peu de répit. Je revois néanmoins le petit jeune homme que j'étais, armé de son espoir têtu, déraisonnable. Je ne suis plus lui, depuis longtemps, mais l'émotion que je ressens en l'instant présent vaut probablement celle que j'aurais ressentie alors. Pour autant, elle est différente, cette émotion. Aujourd'hui, elle est une gratitude. Hier, elle aurait été une allégresse, une exultation, elle aurait nourri l'illusion de l'existence d'un lien particulier. Trente années ont passé.)

Pendant les vacances, je téléphone une seule fois à Paul, il m'y a invité quand on s'est séparés au retour de l'île, il a dit : appelle-moi, l'injonction n'est pas tombée dans l'oreille d'un sourd, elle me sert de baume dans les heures impatientes ou désœuvrées. Je tombe sur Isabelle, nous bavardons quelques instants, avant qu'elle ne m'apprenne que « son mari » est sorti faire des courses (l'horreur brève que m'inspire ce titre de propriété). Je songe que la vie courante, c'est pour elle, les choses matérielles, c'est avec elle, qu'ils ont cela en partage, cela qui définit un couple plus sûrement que n'importe quoi d'autre. Je voudrais abréger la discussion puisque j'ai raté mon coup et parce que je ne me vois pas nouer un lien avec l'épouse trompée, cependant, à l'évidence, elle n'a pas envie de raccrocher. Je ne sais plus de quoi nous parlons mais je me remémore sa voix primesautière, sa gaieté, son énergie. Je comprends comment on peut aimer une femme qui possède autant d'entrain et cette pensée m'est douloureuse. Et puis, à un moment, elle évoque l'île de Ré. Elle dit : Paul est revenu enchanté de son séjour. Il me faut quelques secondes avant de pouvoir fournir une réplique. Je dis : oui, c'était bien, je crois. Je m'entends dire ces mots : c'était bien, je crois, de pauvres mots d'habitude, des mots passe-partout, qui bouchent les trous dans les conversations, et qui semblent soudain surgis d'un profond inconscient, et contiennent une cruauté insoupçonnée pour celle à qui ils sont destinés. J'ajoute : il faut que je te laisse, mon père m'appelle, je ne sais pas ce qu'il me veut. J'invente ce mensonge. Elle dit : on se voit bientôt, j'espère. Je raccroche, emportant avec moi l'espérance biscornue de l'épouse de mon amant.

Le Nouvel An, je le passe avec Nadine, chez des gens que nous ne connaissons pas très bien, dans ce genre de fête qui n'est que l'addition de solitudes, et où l'alcool en excès et la musique trop forte donnent l'illusion de s'amuser. Nous reparlons de l'épisode fâcheux de Saint-Jean-de-Luz, pour en rire, manière de nous représenter en gamins irresponsables, une dernière fois avant que la vie d'adulte ne nous attrape. Nous nous donnons des « nouvelles des autres », là encore dans le but inavoué de croire que le bon temps n'est pas fini, mais déjà nous évoquons les avenirs qui les attendent, nos amis, refusant de nous y inclure.

Et puis, bien sûr, je lui dis « pour Paul ».

Je dis la ronde amoureuse de l'automne, la morsure et la lente diffusion du venin, je dis les nuits d'Ars-en-Ré, la jouissance sans culpabilité, je dis la mystification qui s'annonce. Elle me laisse parler et, quand j'ai terminé, elle est nette, tranchée, elle dit que je suis fou de me lancer dans cette histoire. J'en suis décontenancé, elle est ma meilleure alliée depuis si longtemps. Je dis : c'est la tromperie qui te gêne, le mensonge ? Elle dit : non, pas du tout, ça je m'en fiche. (Elle n'a jamais eu une grille de lecture morale du monde.) Elle dit : c'est juste que tu vas morfler, tu n'auras droit qu'à des petits moments volés, c'est tout, tu voudras davantage et tu l'auras pas. Elle dit :

et puis tu voudras en parler, comme tu le fais là, maintenant avec moi, et tu pourras pas, tu devras tout garder pour toi, ça va te ronger, je te connais. (Elle voit avant moi la frustration inévitable que provoqueront la rareté et la clandestinité.) Elle dit : et tu vas passer ton temps à te demander si c'est de l'amour et tu trouveras pas la réponse. (Elle m'agace à viser aussi juste.) Elle dit : vraiment, t'es dingue, c'est pas possible. Je tente d'objecter : mais des moments, c'est mieux que rien. Je dis aussi : j'ai l'habitude des secrets, j'ai appris à me taire, ne t'inquiète pas. Je dis enfin : il faudrait renoncer parce qu'on risque de souffrir ? Elle lève les yeux au ciel. Elle dit : on ferait mieux de reprendre un mojito.

Que je vous raconte aussi, il y a un garçon dans cette fête. Je revois le visage, une mâchoire carrée, des cheveux blonds, le corps aussi, une silhouette athlétique, pas le genre qui m'intéresse habituellement, je préfère la minceur, la fragilité, je préfère les visages moins photogéniques, et puis je n'aime pas tellement les physiques conquérants, je leur associe, sans doute injustement, une forme de suffisance, quand je ne suis séduit que par la timidité ou la sauvagerie. Si j'observe le garçon malgré tout, c'est parce qu'il est seul, absolument seul, et cela me frappe comme une incongruité, il devrait être entouré, c'est certain qu'il plaît d'ordinaire, il y a des gens qui ont une séduction implacable, on ne peut pas s'y soustraire, je me demande comment ce vide autour de lui est possible, je songe qu'il est ivre peut-être, que l'ivresse provoque le dépeuplement. C'est alors que je surprends son regard chargé de tristesse, quelque chose qui tient à distance, qui éloigne.

Je pourrais imaginer qu'il a appris une mauvaise nouvelle, ou qu'il accomplit un deuil, et qu'il n'est venu dans cette fête que pour se frotter à la vie, pour emmerder la mort. Pourtant, une autre certitude se forme : c'est son état, la mélancolie, il est ainsi, ce n'est pas une chose circonstancielle. Il m'intéresse aussitôt. Je m'approche de lui, je dis : d'où elle vient, la tristesse ? Je ne dis pas bonsoir, il n'y a aucune entrée en matière, aucune présentation, aucun alibi factice, les premiers mots sont réellement ceux-là, la question sur l'origine du spleen, il relève la tête, ne marque aucune surprise, aucune colère, il pourrait facilement dire : qui tu es pour me déranger ? de quoi tu parles ? il pourrait éventuellement dire : ça se voit tant que ça ? Mais non. Il dit : je ne sais pas, je crois que ça a toujours été là. Je tends mon verre, nous trinquons. Nous n'échangerons pas d'autres mots. Nous resterons longuement côte à côte, juste avec la musique trop enjouée et le spectacle des gens qui dansent, des filles et des garçons qui se rapprochent. J'ignore pourquoi je raconte cet épisode, qui n'a rien à voir avec mon récit. Peut-être simplement parce qu'il s'est produit à ce moment de mon récit. Peut-être parce que je n'ai pas oublié le jeune homme, dont je ne connais même pas le nom (son visage est étonnamment précis tandis que je raconte). Peut-être parce que écrire témoigne qu'on n'oublie pas.

Début janvier, je suis de retour à Bordeaux, d'abord un dimanche soir dans la chambre sombre de la rue Judaïque, puis un lundi matin dans l'immeuble de Pey-Berland, au dernier étage. Je retrouve Philippe, on patiente devant notre salle de cours, j'observe l'autre promotion, ils sont dans le même renouement, je saisis au vol des bribes de conversation, ça parle de Pyrénées, de la neige qui était bonne cette année, ça parle d'un réveillon dans les Landes, de l'avion qui a explosé, de « Kadhafi derrière tout ça », de bicentenaire de la Révolution, d'examens blancs, et je ne sais plus quoi encore.

Mais Paul Darrigrand n'est pas là.

Notre professeur arrive, s'engouffre dans la salle, on le suit, on est obéissants.

Pendant les deux heures de cours, je ne pense plus qu'à l'absence de Paul, je suis convaincu qu'elle est délibérée, il n'aura pas voulu affronter mon regard, ou il aura souhaité reprendre ses distances d'emblée, j'y vois un message, une défection. J'en suis mortifié. Les paroles du professeur sont de la bouillie. Philippe s'adresse à moi et je lui réponds avec un temps de retard. Je ne suis pas dans la salle de classe, je suis dans la nuit, la longue nuit des abandonnés, des répudiés.

Finalement, Paul apparaît à l'heure du déjeuner, au restaurant universitaire. Je reviens aussitôt au jour, à la clarté. Il a l'air « normal », rien dans son attitude ne témoigne du moindre inconfort. Du reste, il s'approche de notre table, salue Philippe et Denis d'un serrement de mains, puis me salue de la même manière ; quelque chose de viril, d'amical, de mécanique. Pas d'effusion, j'aurais pu m'en douter, mais pas de distinction non plus : je suis un parmi d'autres, pas différent. Il lance, d'une voix neutre : on essaie de se voir plus tard. Et s'éloigne. Je me dis : il a changé d'avis ou c'est le début de la comédie ?

Je l'observe à la dérobée tandis qu'il déjeune avec des gens de sa promo. Il me tourne le dos. Je connais chacun des muscles de son dos, la forme de ses hanches, la rondeur de son cul. Et eux, ils connaissent quoi de lui ?

L'après-midi, quand je sors de l'immeuble une fois les cours achevés, je le repère immédiatement sur le trottoir, immobile, inoccupé. Il me dévisage. Je me dirige vers lui lentement, je dis, comme dans un souffle : qu'est-ce que tu fais là ? Il dit : *je t'attendais*.

Et il sourit.

Il redevient l'amant.

Avec le sourire, il redevient l'amant.

On part en direction de la place Gambetta. Pendant qu'on marche, je rêvasse à l'incomparable douceur de se tenir à ses côtés. Une chiffe molle.

À un moment, il lance, sur un ton très désinvolte : au fait, Isabelle m'a expliqué que tu avais appelé entre Noël et Nouvel An, pourquoi tu n'as pas rappelé ? La phrase me fait l'effet du shoot d'héroïne qu'on administre au drogué en manque. L'extase et la mort. Quand je redescends, je songe qu'il aurait pu tout aussi bien rappeler, lui, s'il tenait tellement à avoir de mes nouvelles, à entendre le son de ma voix, mais je ne formule pas l'objection. La vérité, c'est que je n'ose pas. Je redoute de l'agacer en le plaçant devant ses propres contradictions ou en lui suggérant un examen de conscience. Tout le temps que durera notre relation, il en sera ainsi : je serai lâche. Et si je suis parfaitement honnête, je peux expliquer pourquoi : j'ai l'intuition que je suis plus attaché à lui qu'il ne l'est à moi, que j'ai davantage besoin de lui qu'il n'a besoin de moi. Je ne ferai rien qui me fasse courir le risque de le perdre.

Une vraie saleté, l'infériorité en amour.

Je veux dire d'abord : être dans la dépendance. Quêter un regard, une attention, un geste, même anodin. Espérer des rendez-vous, des retrouvailles. Se réjouir d'une pauvre manifestation de tendresse comme un clochard sourit au passant qui jette une pièce dans sa soucoupe. Obéir à ses foucades, ses empêchements. Admettre que ses contingences l'emportent forcément. Croire à ses mensonges, au moins à ses arrangements avec la vérité. Se soumettre à son bon plaisir. Consentir à ses silences. Se remémorer ses rares paroles, en traquer le sens caché, en être rétrospectivement ravi ou mortifié. Le savoir ailleurs, loin, avec une autre, en crever.

Je veux dire aussi : être aimé moins qu'on n'aime, susciter moins d'émoi que celui qu'on éprouve pour l'autre, moins d'attente, moins d'impatience, et peut-être ne pas susciter d'attente du tout, plaire quand on est là mais ne pas manquer quand on n'est pas là, être une récréation quand on voudrait être une histoire. Souvent, je penserai : il m'aime, oui, probablement, mais *pas assez*. Parfois, je penserai : il ne m'aime pas du tout.

On contourne la place Gambetta, on emprunte la rue Judaïque. Je dis, sans paraître assuré de la réponse : on va chez moi ? Il dit : tu n'as pas envie ? Ça m'enchante d'apprendre que je vais retrouver son odeur, sa peau me manque, cette façon qu'il a de me serrer contre lui. Et aussitôt, une question s'impose à nouveau, une question posée dès le premier instant sans jamais avoir été formulée, et qui redevient brûlante : c'est quoi, sa sexualité, au juste ? Aime-t-il les deux genres ? S'épanouit-il avec les deux ? Ou l'un l'emporte-t-il sur l'autre ? Mais alors lequel ? Préfère-t-il les hommes mais obtient-il avec les femmes une normalité sociale et la possibilité d'une descendance ? Ou préfère-t-il les femmes et cherche-t-il avec les hommes une récréation, le frisson d'une certaine transgression ?

Un jour, il finira par expliquer qu'il a cette *ambivalence, oui* (le mot est de lui), aimer les filles et les garçons, qu'il aurait pu, *si ça se trouve*, aller davantage vers les garçons s'il n'avait pas rencontré Isabelle, mais justement il l'a rencontrée, ça lui a plu, ça lui a plu beaucoup, ça continue de lui plaire, et ça l'a *détourné*, mais quand même parfois, le désir lui revient, le désir pour un semblable, il accomplit des efforts pour l'éteindre, ce désir, et généralement il y parvient. Je dis : des efforts ? Il dit : c'est épuisant de devoir choisir un camp mais, à la fin, c'est plus simple aussi. Je dis : généralement ? Il concède qu'il y a eu deux garçons avant moi. Il n'explique pas les circonstances. Il lâche juste les prénoms. Nicolas et Karim.

Pendant longtemps, malgré cette explication, je continuerai à m'interroger sur cette fameuse ambivalence (reprenons le terme simplificateur donc menteur). Parfois, à la faveur de nos étreintes, je penserai : il me ment, il se ment, en réalité la compagnie décisive, c'est celle des hommes, absolument, mais il a fait comme d'autres, comme Thomas Andrieu, il s'est mutilé, il est rentré dans la norme, dans la majorité pour s'assurer de la tranquillité dans sa vie. Et puis, dans des dîners où je le verrai se montrer tendre avec son épouse, malicieux avec son amant, je penserai : peut-être qu'il se situe à un point d'équilibre, peut-être qu'il aime les femmes et les hommes dans les mêmes proportions, peut-être qu'il est un funambule sur un fil, toujours sur le point de tomber et ne tombant pas. Enfin, dans les phases d'éloignement, je penserai : non, c'est les femmes qu'il préfère, et il aime être un mari, et il a envie d'avoir des enfants, et c'est avec une femme qu'on les fait, la sienne en général, le désir pour les hommes il est marginal, il le rattrape quelquefois, alors il faut bien qu'il trouve à s'exprimer, c'est tout.

On monte au premier étage de l'hôtel particulier, on rejoint ma chambre, l'amour se fait dès la porte refermée. Pas de préliminaires, pas de conversation badine, pas de coup d'œil jeté vers la fenêtre, vers les branches nues des arbres dans le parc, non, des mains qui s'emparent des visages, des bouches qui mordent, des vêtements qu'on retire, des doigts qui caressent, des queues qui se dressent et puis la suite. Je ne vous fais pas un dessin.

Quand c'est terminé, et qu'on est couchés nus, en quinconce (étrange, du reste, quand j'y repense, ce moment d'intimité non sexuelle, volé à l'urgence qui nous caractérisera), je balance, en riant : c'est pour ça que tu es venu vers moi, pour le cul ? tu peux le dire, tu sais. D'abord, il ne répond pas, ne sourit même pas (on peut deviner un sourire sans avoir besoin de le voir, de même qu'on peut deviner quand il n'y en a pas, quand ça ne vient pas, sans voir). Comme je m'étonne de son absence de réaction, je me tourne vers lui : il me fixe. Il dit, très sérieusement : non, c'est à cause de ton intelligence, je n'avais encore jamais eu affaire à un garçon intelligent, ça m'a troublé, quand tu es troublé tu es foutu.

Il ajoute : *c'est irrésistible, l'intelligence.*

J'ignore ce qu'il met derrière ce mot. Je ne demande pas.

(Plus tard, il avouera que Nicolas et Karim n'étaient que des coups d'un soir, des corps parfaits, secs et nerveux, des types redoutablement doués qui balançaient leurs hanches avec dextérité, qu'il n'a pas discuté avec eux, ou très peu, parce qu'il a compris tout de suite qu'ils n'avaient rien à se dire, rien à partager que de la sueur et du sperme, qu'ils n'étaient là que pour la baise, il dira : ce n'est pas méprisable hein, il dira aussi : et eux, je ne les méprise pas non plus, c'était comme ça, voilà tout. Il dira : toi, c'est le contraire, tu es mal foutu, j'ai pensé que tu n'allais pas être un bon coup, mais il fallait que j'essaie, et tu sais pourquoi ? parce que ça peut faire bander, l'intelligence, en tout cas moi ça me fait bander.)

Aussitôt après, il dit : il faut que j'y aille, sinon on va se demander où je suis passé. Je devine qu'il ne tient pas à s'aventurer davantage sur le terrain mouvant de l'aveu, ni dans une certaine sentimentalité (décidément, ça aussi, c'est une de mes spécialités, tomber sur des types qui répugnent à s'épancher, alors que rien ne me touche davantage que le dévoilement). Et j'entends le « on », énoncé à la place d'Isabelle. S'il s'agit d'une délicatesse, la délicatesse est-elle pour moi ou pour elle ?

Après, les semaines passent : on se croise chaque jour dans les couloirs de l'institut, on déjeune quelquefois ensemble en compagnie de Philippe, de Denis, d'autres encore sans rien laisser paraître, on va prendre des verres dans les cafés avoisinants et on se retrouve rue Judaïque, au 88, par intermittence, c'est-à-dire quand on a du temps entre deux heures de cours, quand on termine plus tôt, quand sa femme est de garde à l'hôpital. Ma fièvre ne retombe pas. Je suis pourtant consumé par la frustration (ce n'est jamais assez), rattrapé par une forme de culpabilité (nous sommes les salauds, les mystificateurs), engagé dans une routine (on a des 5 à 7, comme dans les pires vaudevilles), agacé par sa réticence à concéder un attachement (il est le roi de l'esquive), l'engouement pourrait donc s'estomper, la ferveur s'affadir mais non, ça reste intact, le désir ne faiblit pas, le besoin de lui s'accroît même chaque jour, comme si l'insatisfaction était du charbon jeté dans la gueule de la locomotive, comme si le déshonneur était sans importance, comme si la répétition nourrissait l'avidité, comme si sa prudence m'obligeait à me dévoiler davantage.

Sinon, quoi d'autre ?

On voit *Femmes au bord de la crise de nerfs* d'Almodóvar (je dis à Paul qu'il doit absolument voir aussi *La Loi du désir*, il rechigne), l'ayatollah Khomeiny lance une fatwa contre Salman Rushdie,

Mgr Gaillot, l'évêque d'Évreux, publie dans *Gai Pied* un article intitulé « Être homosexuel et catholique », Aznavour écrit « Pour toi Arménie » et la chanson se classe aussitôt numéro 1 au Top 50, on annonce la mort suspecte de Roger-Patrice Pelat, impliqué dans « l'affaire Pechiney » (à laquelle je ne comprends pas grand-chose).

Sinon, ceci.

Il caresse ma joue avec son pouce en souriant et son sourire est malicieux, narquois.

Il retire ses vêtements, quand il ne lui reste que son caleçon et son tee-shirt il retire son caleçon, je suis troublé par ce moment bref où il ne porte plus que son tee-shirt, où je peux voir sa bite.

Il est mince mais les muscles de ses bras sont développés, ses épaules sont rondes, il dit que c'est à cause de la planche à voile.

Il a une cicatrice à l'aine ; l'appendicite à neuf ans.

Une ligne de poils court de son nombril à son pubis et qui comprendra que cette seule vision peut me bouleverser ? Je pose ma tête à cet endroit.

Il est étendu sur le ventre, entièrement nu, comme dans ce film avec Bardot, son cul est rebondi, je raffole de son cul.

Il a la peau blanche, très blanche, il dit qu'il est obligé de mettre de la crème quand il s'expose au soleil, l'été, et que ça ne suffit pas toujours.

Après l'amour, il est assis sur le rebord du lit, légèrement penché en avant, j'observe les plis délicats de son ventre plat, la ligne de sa colonne vertébrale, il attrape une bouteille d'eau posée par terre, il l'avale presque d'un coup, la tête en arrière.

Il sait l'effet qu'il produit sur moi, j'ai
moments où il n'en joue pas.

(Je voudrais tant savoir écrire, écrire exactement, écrire parfaitement, à propos de ça, ces moments, *tout ce qui se tenait dans ces moments*, écrire à propos d'une certaine lumière tombée un jour à l'oblique sur son visage, à propos d'une odeur dont j'ignorais la composition mais dont je savais qu'elle était la sienne, écrire sur des gestes qui lui échappaient et qui instantanément me foudroyaient, je voudrais trouver les mots, les mots justes, absolus, afin qu'on sache ce que j'éprouvais alors mais je ne sais pas, je n'y arrive pas, c'est inexprimable par moi, avec des mots c'est toujours tellement *moins* que ce que c'était ; voilà la pire des frustrations. Non, je ne sais pas écrire ça. L'écrire comme il faudrait.)

(Ceci encore : aujourd'hui, on est sommé d'écrire sur la violence de l'époque, sur les victimes de la politique ou de la religion, sur le fracas du monde, mais sait-on qu'il n'y a rien de plus facile, et de plus démagogique ? Capturer une ombre, un parfum, une sensation, un détail, c'est autrement plus compliqué, et beaucoup moins vendeur.)

Je dois une précision : au cours de cet hiver, l'hiver 89, je me rapproche d'Isabelle. C'est elle qui est à la manœuvre. Elle dit à son mari : je l'aime bien, Philippe, c'est le plus intéressant de tes amis, on devrait le voir plus souvent. Elle organise des dîners, elle propose d'aller au cinéma ensemble, elle nous fait la surprise de venir nous attendre à la sortie de l'institut. Je me demanderai si elle soupçonne quelque chose, si elle tient à en avoir le cœur net, si elle cherche même un flagrant délit, tant elle se montre empressée. Plus d'une fois, je filerai à l'anglaise, j'inventerai des prétextes pour éviter la fabrication d'une trop grande intimité. Je baisserai les yeux aussi, je rougirai, je changerai de sujet quand je serai rattrapé par la conviction de me comporter comme un goujat. Cependant, nous finirons par devenir de bons camarades ; curieusement cette expression vieillotte convient. Dans d'autres circonstances, nous serions devenus des amis. La différence ? La confidence, la confiance.

(Tout de même, les choses auraient été plus faciles si je l'avais détestée.)

(Je corrige : je l'ai parfois détestée. Mais uniquement parce qu'elle occupait une place que je voulais mienne.)

Et Paul dans tout ça ? Il navigue entre les rochers, slalome entre les piquets, je pourrais multiplier les métaphores. La plus juste serait sans doute celle du torero, ce danseur aux fesses moulées, habillé d'or et de sang, qui parade au beau milieu de l'arène, qui d'abord attend sa victime, seul et agenouillé, puis l'attire en agitant sa muleta, effectue des passes de capote pour la fatiguer, combat à pied, plante des banderilles, avant de porter l'estocade. Isabelle et moi nous serons tour à tour l'animal ensorcelé, désorienté, épuisé, rendant les armes. Nous succombons à son charme et à sa cruauté.

(En 2003, j'écrirai *Un garçon d'Italie*, l'histoire d'un homme partagé entre son irréprochable compagne et son jeune amant. Dans le livre, l'amour se répartit *équitablement*, le héros est aussi *amoureux* de l'un que de l'autre, même si la compagne a droit à la vie sociale et l'amant à la clandestinité. On écrit parfois pour embellir ses souvenirs.

Dans le roman, je suis un garçon très beau, aguicheur, charnel. Oui, décidément, la fiction sert à prendre une revanche sur le réel.

Soyons plus précis : je suis prostitué à la gare de Florence. Je me suis donné le rôle d'une pute. Allez savoir pourquoi.)

Une échéance se rapproche, celle de la fin des cours académiques, fixée au 31 mars, et du début du stage de trois mois qui clôt notre cursus. Je la redoute, cette échéance, car Paul a le choix entre deux propositions, l'une à Bordeaux, l'autre en banlieue parisienne. Je n'ai pas envie qu'il parte. Je redoute que l'éloignement nous condamne. Je suis dans cette frayeur, cette fébrilité (cette terreur de l'abandon, encore ?). Je n'en montre rien. Je ne veux pas qu'il me voie bêtement transi d'amour, implorant. Ce sentimentalisme aurait pour lui quelque chose d'embarrassant. Lui-même ne laisse rien filtrer. On fait comme si de rien n'était. Cependant, c'est un autre événement qui va changer la donne.

Le mardi 7 mars, on se rend à une fête. Soyons honnête, j'ai totalement oublié le lieu, je ne me souviens pas davantage de qui nous avait invités, je sais juste que j'y débarque en compagnie de Paul,

Philippe et Catherine. Les images qui me reviennent ne sont que des flashes : on danse sur de la musique trop forte, on boit dans des gobelets blancs en plastique, il y a beaucoup de monde, une fille jette des cotillons, des types discutent dans une cuisine une bouteille de bière à la main, je ne reconnais pas les visages, on se crie à l'oreille pour pouvoir se parler, ce pourrait aussi bien être les images d'une autre fête, elles se ressemblent toutes. Ce que je me rappelle en revanche, c'est le retour. Paul a pris sa voiture, c'est lui qui nous ramène. Il dépose d'abord Philippe et Catherine, rue Castelmoron, et puis on se dirige vers la rue Judaïque. Il peut passer un peu de temps avec moi, il a annoncé à sa femme qu'il rentrerait tard, que ça ne servait à rien qu'elle l'attende, je lui dis : tu n'as pas peur qu'elle demande à Philippe et Catherine à quelle heure on a terminé ? elle se rendrait compte que ça ne colle pas, il dit : elle ne pose pas ce genre de question. On gravit l'escalier en titubant, Paul s'esclaffe, je lui commande de faire moins de bruit, ma logeuse a l'ouïe fine, il dit qu'il emmerde ma logeuse, j'aime Paul dans l'ivresse, il sourit plus facilement, il perd sa maîtrise, il est espiègle, irrévérencieux, il est tactile aussi. On baise.

Il ne reste pas longtemps.

Après.

Je le revois distinctement en train de se rhabiller, d'enfiler son jean, de forcer légèrement parce qu'il est étroit, de s'asseoir sur le rebord du lit pour remettre ses chaussettes, de grosses chaussettes en laine gris moucheté, de reboutonner lentement sa chemise, comme s'il s'agissait d'un cérémonial, de passer son pull, un pull marin avec les boutons au niveau de l'épaule, sur le côté gauche, rayé bleu et vert sapin, il termine par les chaussures, des Caterpillar couleur sable. J'ai la mémoire de ce genre de choses, je peux facilement oublier l'essentiel, ce que tout le monde se remémore, les évidences, mais presque jamais les détails, c'est aux détails que je suis le plus attentif. Il pose la main sur la poignée de la porte, dit : je connais le chemin, m'embrasse furtivement et disparaît. Je m'étale de tout mon long sur le lit, je sens son odeur, il reste un peu de son sperme, ou du mien sur le drap. Je regarde la montre à mon poignet : il est plus de trois heures du matin. La nuit va être courte.

J'ai rendez-vous à neuf heures chez ce médecin.

Tout ça, c'est à cause de ma mère. Elle explique à ses fils : il faut faire des check-up, elle a vu une émission à la télévision, on parlait de bilans de santé réguliers, de l'importance de s'y plier, et puis maintenant qu'elle ne les a plus sous la main, ses garçons – je vis à Bordeaux et Olivier à Toulouse –, elle a trouvé ce moyen pour s'assurer qu'ils vont bien, pour dominer son inquiétude ontologique, il y a aussi que dans l'enfance elle s'était emmêlé les pinceaux, elle avait raté des rappels de vaccination, il avait fallu tout reprendre à zéro, elle s'en veut encore. J'ai accepté, choisi un médecin au hasard (dans l'annuaire, je crois), il porte un nom à consonance espagnole, il m'a établi une ordonnance, j'ai fait faire une prise de sang complète dans un laboratoire, le médecin doit me remettre mon rapport d'analyses, je suis persuadé que ça va prendre cinq minutes. Quand je m'assois devant lui, je paye encore la nuit trop brève et la vodka absorbée en trop grande quantité. Je pense : il doit me trouver une mine épouvantable, je lui souris pour que ça lui saute un peu moins aux yeux, il ne me rend pas mon sourire. Il m'observe quelques instants, il finit par dire, avec un air grave, mais pas seulement grave, embarrassé en fait, c'est ça, c'est son embarras qui me décontenance, davantage que la gravité, il dit : je ne vais pas tourner autour du pot, il y a une *anomalie* dans vos résultats.

On n'a pas envie d'entendre une phrase comme celle-ci, surtout prononcée avec un air embarrassé. On n'est pas préparé à entendre une phrase comme celle-ci, surtout à vingt-deux ans (j'ai eu vingt-deux ans un mois plus tôt). Pourtant, je sais les épreuves que la vie envoie parfois, je sais que la jeunesse ne met à l'abri de rien, j'ai évoqué ceux de mes amis qui ont affronté le pire, qui n'en sont pas revenus. Mais voilà, j'ai toujours cru que, moi, je serais épargné. Au nom de quoi, je l'ignore, mais il est exact que je ne me suis jamais imaginé en victime. La phrase ouvre un abîme sous mes pieds, un abîme où j'ai soudain peur d'être englouti. Elle fait aussi couler une eau glacée le long de ma colonne vertébrale et ce froid m'oblige à me redresser. Et puis, je me raisonne aussitôt, refusant de m'avouer vaincu avant de connaître l'adversaire. *Ça* peut ne pas être sérieux. *Ça* peut être douloureux, incommodant, *ça* peut exiger des traitements, mais *ça* peut ne pas être sérieux du tout. Je répète le mot, calmement : une *anomalie* ?

D'abord, il se montre rassurant : les données principales sont bonnes, vos globules rouges, vos globules blancs, votre glycémie, votre bilan lipidique, tout ça va très bien. Rien à signaler non plus du côté rénal ou hépatique. Je recouvre une respiration normale, j'ai moins froid, je vois l'abîme se refermer. Et même, je sens une colère monter : ce type m'a inquiété pour rien ! Sauf qu'il ajoute : en revanche, votre taux de plaquettes est anormal. Je ne comprends pas. Il dit : vous savez ce que c'est, les plaquettes ? Je lui fais signe que non. Il m'explique (et tandis qu'il me parle, je songe à l'expression : je vous fais un dessin) : les plaquettes participent à la coagulation du sang et à la formation de caillots en cas d'hémorragie. Pour faire simple, elles permettent au sang de cesser de couler quand on se coupe par exemple. Quand leur nombre est trop élevé, il y a un risque de thrombose, d'obstruction d'un vaisseau, si vous préférez (pas sûr que je *préfère*). Quand il n'y en a pas assez, le patient court un risque d'épistaxis, c'est-à-dire d'hémorragie ; ça peut être le signe d'une infection. Je dis : d'accord, et moi, je suis dans quel cas ? Il répond du tac au tac : le deuxième ; vous présentez un déficit sévère. La faille s'agrandit à nouveau sous mes pieds, la glace brûle ma peau. Je répète (à nouveau) : un déficit sévère ? Il se fait précis : la valeur normale est comprise entre cent cinquante mille et quatre cent mille plaquettes par millimètre cube ; vous, vous en avez moins de vingt mille.

Et puis, le silence. Probablement qu'il ne dure pas longtemps, ce silence mais, dans mon souvenir, il est interminable. Ça a une consistance, le silence, une épaisseur, une densité. Celui-ci pèse une tonne.

Il y a une blancheur également, comme si les lieux étaient envahis par une lumière trop forte, saturée, ou comme dans certains de mes rêves.

Il se racle la gorge : je vais devoir vous poser quelques questions. J'acquiesce. À ce moment précis, de toute façon, je serais d'accord avec tout ce qu'il suggère. Il commence : est-ce que vous avez des bleus sur le corps ? J'ai un mouvement de recul, je dis : non. Il dit : vous permettez que je vous observe ? (On jurerait qu'il ne me croit pas.) Il m'invite à retirer mes vêtements, à ne conserver que mon caleçon. Je m'exécute. Il me détaille, examine mes bras, mes chevilles, comme s'ils ne m'appartenaient pas, comme s'ils étaient des objets, distincts de ma personne, inspecte mon dos, je sens le bout de ses doigts froids et doux sur ma peau, il ne repère aucun bleu. Il lâche (malgré lui ?) : ce n'est pas normal. Je dis : qu'est-ce qui n'est pas normal ? Il dit : que vous n'ayez aucun bleu, avec un taux aussi bas, vous devriez être couvert de bleus, dès que vous vous cognez, ça devrait faire un bleu. Je distingue nettement sa perplexité. Il ajoute : je ne vois pas de pétéchies non plus, ce sont des petites taches rouges ou violettes à la surface de la peau… Vous ne vous souvenez pas d'en avoir repéré ? Je dis : non. Il dit : et des migraines, ça vous arrive d'en avoir ? Je dis : non, presque jamais. Il enchaîne : et des troubles oculaires ? Je fais non de la tête, presque piteux. Je serais tellement rassuré de pouvoir cocher ses cases.

Il poursuit : vous suivez un traitement, vous prenez des médicaments ? Je dis : non, rien, rien du tout. Il dit : vous buvez ? Je balbutie : comme un étudiant, des bières dans les cafés, ou dans les soirées, j'ai pas mal bu hier soir. Il balaye : bref, vous n'êtes pas alcoolique. Je dis : non, pas du tout. Quand j'entends mes réponses, les « du tout » répétés, je comprends que je proteste. Il poursuit : il vous arrive de ressentir de grandes fatigues ? Je dis : non, pourquoi ? Il explique : ça pourrait être une aplasie médullaire, un problème avec votre moelle osseuse, mais on constate ça plutôt chez les enfants (je ne suis plus un enfant).

Il va se rasseoir tandis que je me rhabille. Il paraît à nouveau embarrassé, me détaille, perplexe, me laisse le temps d'enfiler mes vêtements. Il se lance : avec un taux aussi bas… ça signifie que… eh bien disons que… vos défenses immunitaires sont attaquées… On observe ce phénomène chez… les personnes séropositives. Pardon de vous le demander mais vous pourriez être séropositif sans le savoir ? Je songe aux étreintes de la nuit passée, je songe à l'odeur de Paul, à son sperme sur moi, sur les draps, à mon sperme répandu sur son torse, je songe que nous ne sommes pas toujours prudents. Je dis : d'ordinaire, je prends mes précautions mais en ce moment, j'ai quelqu'un (je m'entends prononcer cette phrase vertigineuse, et pour la première fois : *j'ai quelqu'un*), ça fait plusieurs mois déjà, on s'est un peu relâchés. Il dit : ce quelqu'un, c'est un homme ? Aujourd'hui, je lui crierais : qu'est-ce que ça change ? Là, je me contente d'acquiescer, mais sans ciller pour qu'au moins l'honneur soit sauf, pour qu'il soit établi que je n'éprouve aucune honte. Je voudrais ajouter : il se prénomme Paul, parce qu'elle me gêne, cette désignation générique, mais je renonce : qu'en aurait-il à faire du prénom ? Et ça ne le renseignerait pas sur l'incandescence ni sur la singularité. Il dit : donc l'hypothèse de la séropositivité n'est pas totalement à écarter ? Je le dévisage, je dis, piteusement : non, pas totalement à écarter. Il enchaîne, doctement : je vais vous prescrire un test HIV, vous irez le faire dans le labo où vous avez déjà effectué la première analyse, on aura le résultat sous quarante-huit heures.

(À l'époque, on attendait deux jours avant d'être fixé. Tous ceux qui ont attendu que soient écoulés ces deux jours connaissent l'enfer dont je parle. Cela étant, même quelques heures, c'est encore un enfer. C'est insoutenable d'*attendre* une possible condamnation, cela peut précipiter aux portes de la folie.)

Je dis : ça a un nom ? Il fronce les sourcils. Je précise : cette maladie ? Il dit : on appelle ça une thrombopénie. Je trouve aussitôt que c'est un terme disgracieux. Bêtement, j'aurais préféré un nom propre, une particule.

Je cherche à être rassuré : mais ce n'est pas contagieux ? Il sourit (ça me frappe, ce sourire, et ça me rassure en même temps) : non, non, ce n'est pas contagieux.

Je le dévisage : qu'est-ce qui se passe maintenant ? Il est placide : on attend les résultats puis je transmettrai votre dossier complet au service d'hématologie de l'hôpital Saint-André, ils seront mieux à même de traiter votre cas, ils vous convoqueront rapidement. Je m'étonne : je vais être hospitalisé ? Il corrige : vous allez être pris en charge par des spécialistes, moi je suis un généraliste vous savez. Je proteste : mais je vais très bien. Il me dévisage, peut-être agacé, et puis dit, lentement : il faut que vous compreniez une chose… vous courez *un risque hémorragique permanent*.

Il répète les quatre derniers mots.

Je me rends : je vous dois combien ? Il énonce un montant, d'une voix neutre. On paye aussi pour les mauvaises nouvelles.

Après ? Je quitte le cabinet médical, avec mon ordonnance à la main. En passant devant la salle d'attente, j'aperçois une jeune femme avec un enfant, il me semble qu'elle immobilise son regard quelques instants sur moi, je suis pâle probablement et c'est ma pâleur qui retient son attention. Rendu au-dehors, je respire à pleins poumons l'air pollué de la rue. Je songe : je vais devoir parler à Paul, maintenant.

Dans les heures qui suivent, je passe par plusieurs états. La culpabilité en premier. Je me répète : si je suis séropositif, j'ai peut-être contaminé Paul. Pas une seconde, je n'envisage qu'il puisse s'agir du contraire. Sans doute parce qu'il n'a couché qu'avec deux autres garçons dans toute sa vie, que c'était seulement une fois, et que c'était il y a longtemps. Je lui invente des pare-feux auxquels je n'ai pas spontanément recours pour moi-même. Au fond, je l'imagine irréprochable, forcément innocent. Du coup, je suis mortifié de me découvrir en possible passeur de mort (je dis mort à dessein, parce qu'à cette époque-là, on développe la maladie rapidement en général, et on en *meurt*, on en *crève*).

Je me rends compte que je juge plus terrible de me découvrir en passeur qu'en porteur de mort. Car je pourrais avoir peur pour moi, d'abord, ce serait un réflexe naturel, personne ne me le reprocherait, mais non, ce qui me vient spontanément, c'est ce sentiment de la faute et son corollaire, le besoin de m'en blâmer.

C'est de l'amour aussi.
Évidemment.
Un élan amoureux.
Le plus éclatant. Le plus pur. Le plus tragique.

Et puis, tout de même, bien sûr, la peur advient, s'impose, la peur de développer la maladie et d'y succomber. Je la connais cette peur, je l'ai vue à l'œuvre sur mes amis, je sais qu'elle ronge, qu'elle dévore, et qu'elle fait plier les genoux, qu'elle jette à terre. Après, je songe à la souffrance qui menace, celle provoquée par le mal, bien entendu, mais celle aussi provoquée par les traitements. Là encore, je l'ai vue à l'œuvre, la douleur. J'ai été témoin de la violence des effets secondaires de l'AZT, j'ai vu les nausées, les vomissements, la décoloration des ongles, on m'a raconté les maux de tête, les insomnies, les douleurs musculaires et plus grave : l'anémie. Je ne me sens pas de taille. Alors je m'efforce de me raisonner. Je veux faire confiance aux probabilités. La séropositivité dans mon cas est un risque infime. Je me ressaisis.

Paul, je le croise l'après-midi même. Je lui dis : il faudrait que je te parle. J'ai évité le : il faudrait qu'on parle, annonciateur de règlements de comptes ou d'émois embarrassants. J'y mets suffisamment de solennité, de gravité pour qu'il ne m'oppose pas son emploi du temps, ni même qu'il m'interroge. Il dit : au Pala, à cinq heures, ça te va ? Il ajoute : cette fois, je viendrai, je promets.

Il tient sa promesse : je le revois encore entrer dans le café, me chercher du regard, me repérer, s'approcher en baissant la tête, comme il le faisait toujours, s'asseoir face à moi, aviser la bière posée entre mes mains, se tourner vers le serveur, lancer : la même chose, me fixer enfin, dire : qu'est-ce qui se passe ? sans colère ni lassitude, avec, je crois, une pointe d'inquiétude, comme s'il avait deviné que les mots pouvaient n'être pas faciles à entendre. Je raconte l'histoire, calmement, sans y mettre aucun effet, avec une objectivité qui m'étonne moi-même, on jurerait que je parle d'un autre, je dis ma mère, l'analyse de sang, le médecin, les plaquettes, le risque hémorragique permanent, le test, les résultats prévus pour le vendredi. Je précise : c'est à cause du test que je te raconte tout ça. Il laisse s'écouler quelques secondes. Puis : parce que tu ne m'aurais rien dit, sinon ? tu ne m'aurais pas dit pour ta maladie ? J'ignore s'il s'efforce de ne pas affronter le sujet qui le concerne directement, s'il éprouve de la frayeur et qu'il tente de la dominer, s'il gagne du temps, s'il en prend pour assimiler l'information, ou s'il est réellement d'abord préoccupé par ce qui m'arrive. Il m'a tellement habitué à un refus des épanchements. Je bafouille : je ne sais pas, je ne sais pas si je t'en aurais parlé, non, c'est intime, la maladie, on peut décider de la garder pour soi, on n'est pas obligé de la confier, et les autres, ils n'en veulent pas forcément, ou ils ne savent pas comment s'en débrouiller, moi avec mes amis malades je n'ai jamais vraiment su faire, tu es démuni, tu es impuissant, tu ne connais pas les gestes, les phrases, tu ne sers à rien, tu n'as jamais la bonne distance, tu t'apitoies et c'est insupportable, tu plaisantes et c'est insupportable aussi, alors non, sans doute que je n'aurais rien dit (je balance toutes ces phrases à la suite, ce long babil, je le jure). Il me dévisage. Il finit par murmurer : mais c'est moi, quand même, c'est pas n'importe qui, c'est pas *les autres*. Je mords ma lèvre, je retiens les larmes. Je finis par dire : j'ai toujours eu l'impression que tu n'avais pas envie d'une trop grande intimité entre nous. Il me dévisage : tu as déjà vu des intimités plus grandes ? tu as une idée de combien de personnes me connaissent comme tu me connais ? et moi je sais comment tu gémis, comment tu pleures, comment tu embrasses.

(Des années après, je reste stupéfait qu'il ait *verbalisé* d'une certaine manière ce que nous étions l'un à l'autre, qu'il ait employé les verbes : gémir, pleurer, embrasser. Les circonstances l'y ont aidé, il faut reconnaître.)

Il poursuit : comment tu te sens ? Je suis incapable de répondre à une question pareille. Je baisse la tête, peut-être en signe d'impuissance. Il pose alors délicatement sa main sur ma nuque. Il accomplit ce geste qu'il réserve à nos nuits d'ordinaire, qui n'est possible que dans l'obscurité. Je suis bouleversé par cette audace inattendue. Je ne relève pas la tête, à la fois pour que le moment dure et pour ne pas apercevoir les coups d'œil alentour, la surprise de quelques-uns sans doute dans le café bondé.

Il finit par retirer sa main et, d'un doigt posé sous mon menton, m'oblige à lui faire face. Il dit, posément, sans affect : *je refuse que tu meures*.

Je sais le regard qui était le sien quand il a prononcé ces mots.

Je le sais précisément, exactement.

Et je suis le seul à le savoir.

À l'instant où je rédige ces lignes, je le revois, ce regard.

Parce qu'il est inoubliable. Inoubliable.

Mais je ne sais pas le décrire, j'en suis incapable.

J'ai évoqué cela, déjà, mon incompétence parfois.

Il y a une limite à ce que je peux écrire.

Écrire ce regard se situe au-delà de cette limite.

Je dis : promis. J'y ajoute un sourire. Je crois que nous venons de nous dire que nous nous aimons.

Peut-être.

Et alors ma gêne est telle que je choisis de revenir au motif de sa présence : le test. (Je me rends compte à cette occasion que je n'ai jamais su accueillir les aveux. Je me plains de la froideur de ceux que j'aime mais, au fond, ils doivent deviner que leur ferveur me troublerait davantage encore.)

Il dit : oui, le test, eh bien, on va attendre, qu'est-ce qu'on peut faire d'autre ?

Sa rationalité me décontenance.

Je dis : tu ne me demandes pas s'il y a un risque ? Il me fauche : je crois que tu ne m'aurais pas fait prendre de risque et je ne t'en ai pas fait prendre, je suis sûr qu'on est tous les deux séronégatifs. Il dit : la seule question, la seule, c'est celle du nombre de tes plaquettes.

Je le scrute, je scrute son aplomb, son assurance, qui contrastent tellement avec ma fébrilité, mon égarement. Je me souviens que c'est cela qui m'a plu chez lui, dès la première minute. Je mesure aussi sa confiance, je veux dire : sa confiance en moi. *Tu ne m'aurais pas fait prendre de risques.* Je pourrais lui objecter qu'avec ce mal sournois (et entaché encore d'incertitudes), on ne peut pas être sûr à cent pour cent. Je ne le fais pas parce qu'il a raison : évidemment, je ne lui aurais fait courir aucun risque.

On boit nos bières, on ne se parle plus. À la radio, un journaliste annonce que la Chine vient d'imposer la loi martiale au Tibet après trois jours d'émeutes. On s'en fout.

Le vendredi, je me présente au rendez-vous fixé par le médecin. Alors que je franchis les deux ou trois mètres qui séparent la porte de son cabinet de la chaise où je suis supposé prendre place, je regarde ailleurs, je me suis juré de ne pas dévisager l'homme, de ne pas traquer le moindre signe, de ne pas présumer une réponse avant qu'elle me soit fournie. Lorsque je finis par le fixer, il met fin au suspense tout de suite. Il dit simplement : c'est bon. (Paul avait vu juste.) Je ne parviens pas à réprimer un sourire. Il le corrige aussitôt : vous n'êtes pas tiré d'affaire, vous avez bien compris ? Il va falloir maintenant qu'on comprenne pourquoi vous avez si peu de plaquettes. Il y a forcément quelque chose dans votre organisme qui les détruit.

En effet, mon sourire a disparu.

À ce stade de mon récit, il est sans doute utile de préciser à ceux qui ne me connaissent pas ou qui n'ont pas lu tout ce que j'ai publié (et ce sont, de très loin, les plus nombreux) que j'ai évoqué cette maladie, il y a longtemps. C'était, en 2001, dans un livre intitulé *Son frère*. D'une réalité vécue dans ma jeunesse, j'ai fait un pur roman.

J'y raconte qu'un jour de printemps, je reçois un coup de téléphone de mon frère aîné, lequel m'apprend qu'il sort de chez le médecin. On vient de lui annoncer qu'il souffre d'une thrombopénie. Il demande à son cadet (moi, donc) de l'accompagner dans cette épreuve. Commencent des jours d'hôpital, des traitements lourds qui, tous, échouent, les uns après les autres et bouleversent les existences. Le malade se sépare de sa compagne et avance vers l'inéluctable. Pendant ce temps, moi, le narrateur, je tiens le journal de cette marche vers l'abîme. Les frères finissent par se réfugier dans la maison de leur enfance, située dans l'île de Ré. L'aîné disparaît, en devançant la mort à venir.

Dans le livre, je me suis donné le rôle du bien portant. Cependant, tout est écrit de sorte que le lecteur est convaincu de tenir entre les mains un récit autobiographique, un témoignage. L'effet de vraisemblance est tel qu'à la publication du livre, on m'interroge systématiquement : mais cette histoire est réellement arrivée ?! Chaque fois je réponds la même chose (j'ai élaboré minutieusement la formulation que j'utilise) : *j'ai effectivement un frère aîné mais il n'a jamais souffert de ce mal, il est d'ailleurs bien vivant.* Ce qui est l'exacte vérité (j'insiste : dans la réponse à la question posée, je ne mens pas). Tout le monde est soulagé (certains sont déçus, quand même, sans le formuler ; ils préfèrent quand les histoires sont vraies). Tout le monde considère par conséquent que j'ai tout inventé. Je ne contrarie pas cette spéculation. En fait, je me suis contenté de transposer, de transformer, de déporter, j'ai inversé les rôles, et par ailleurs ajouté un secret rapporté par un vieillard étrange, histoire de brouiller les pistes (et j'y ai gagné mes galons de romancier). On me félicite pour un imaginaire luxuriant associé à un grand sens de la précision. Je prends les compliments. Ils sont usurpés, pourtant. Mais d'aucuns pourraient considérer qu'au contraire, ils sont mérités. La frontière est si ténue quelquefois.

Aujourd'hui, voilà que je vous montre l'envers du décor. La réalité derrière la fiction.

Le vendredi soir, je file à la gare Saint-Jean, je monte dans le train qui, une heure plus tard, me dépose à Jonzac. Là, ma mère m'attend, sur le parvis de la gare, comme chaque vendredi soir. Il faut ensuite trente minutes pour gagner Barbezieux. C'est pendant ce trajet que je lui annonce la nouvelle. Avec le recul, je me demande encore pourquoi je n'ai pas attendu d'être à la maison, de me trouver assis devant mes deux parents. Qui plus est, il pouvait se révéler dangereux d'énoncer mon *infortune* à ma mère tandis qu'elle conduisait. Je présume que ce rituel, ce rendez-vous du vendredi soir, juste elle et moi, depuis plus de six mois, s'y prêtait. C'était notre moment, le seul où nous étions seuls. Je me rappelle très bien sa contraction, ses mâchoires qui se serrent, ses mains qui se crispent sur le volant, et son visage qui ne se tourne pas dans ma direction, surtout pas. Elle aurait pu stopper la voiture sur le bas-côté, me saisir par les épaules, exiger tout de suite des précisions. Mais non, elle est restée le regard fixé sur la route. C'était sa manière à elle de tenir bon, de ne pas sombrer. Car elle a compris tout de suite qu'elle pouvait perdre son fils, qu'elle allait vivre un enfer. Elle l'a reconnu plus tard.

(C'est sur cette même départementale que mes parents avaient eu, des années plus tôt, un accident de voiture assez grave : le meilleur ami de mon père conduisait, il avait une Renault 8, mon père était assis à la place du mort, les épouses avaient pris place à l'arrière, ma mère tenait un nourrisson sur ses genoux. La voiture ne roulait pas vite, les beaux jours étaient revenus, le temps était clair, ils ne se méfiaient pas, pourquoi se seraient-ils méfiés, ils parlaient de tout et de rien, ils n'ont pas vu venir le danger, pas vu qu'un véhicule se présentait sur la gauche et n'allait pas s'arrêter au croisement. Le choc avait été soudain et violent, les deux voitures entrées en collision avaient valdingué, tournoyé, et personne n'avait attaché sa ceinture de sécurité, c'était ainsi en ce temps-là, miraculeusement on n'avait eu à déplorer au total qu'un bras et une jambe cassés, des contusions, des blessures superficielles, malgré beaucoup de tôle froissée et des pare-brise éclatés. Il y avait surtout eu une grande frayeur et un traumatisme qui mettrait du temps à se dissiper. Quand ma mère racontait l'histoire, elle expliquait qu'elle s'était contractée, repliée afin de protéger le nourrisson, et que c'est ainsi que son bras s'était brisé. Le nourrisson était sorti indemne ; c'était moi.)

Mon père, quant à lui, se mettra en colère lorsque je lui confierai le problème avec mon sang. Sur le moment, je lui en voudrai, ayant l'impression qu'il me reproche ma maladie, qu'il m'accuse d'en être responsable (il est persuadé que je mène une mauvaise vie et que c'est elle qui explique cette *déficience*, cette *infection*). Il me faudra des mois avant de comprendre que sa colère n'était qu'un dérivatif à son angoisse, à son chagrin déjà.

Le lundi suivant, lorsque je reviens à Bordeaux, j'informe Philippe et Catherine avant de leur commander le silence. Je ne mettrai personne d'autre dans la confidence. Catherine est la première qui ne peut, devant moi, réprimer des larmes. Elle se reprend, dit : tu vas faire quoi ? Je réponds que j'ai rendez-vous avec un médecin à l'hôpital le lendemain, que je vais écouter ce qu'il a à me raconter. À ce moment-là, je crois encore que je peux m'en sortir, que je peux échapper à la mécanique. J'en veux pour preuve ma peau immaculée, je me donne des coups exprès, je me cogne et rien, pas le moindre bleu, je songe : ils se sont trompés dans les résultats, qui sait ? ou : c'est peut-être un mal dormant (comme il y a des espions en sommeil). Je crois que la vie va continuer normalement. D'ailleurs, je me rends à mes cours, j'organise mon futur stage, qui doit débuter en avril, le soir on se retrouve tous dans un café, c'est joyeux, il y a du bruit, de la musique, des éclats de rire.

Le mardi, je pénètre pour la première fois dans l'enceinte de l'hôpital Saint-André, un bâtiment du XIXe siècle à la façade noire de suie, aux fenêtres voûtées, et qui, du dehors, paraît insalubre. Je suis frappé par la vétusté des lieux, à peine rattrapée par le charme suranné d'un jardin intérieur. Les murs sont coquille d'œuf, le lino dans les couloirs cloque sous les pas. Là, je suis reçu par un interne, il semble découvrir mon dossier, n'exprime pas d'inquiétude particulière, je devine que dans ce service d'hématologie on est habitué à largement pire, on a affaire à des lymphomes, des leucémies, on traite des vieillards en bout de course, le petit jeune homme que je suis, avec son air bien portant, ne représente pas une urgence, j'en suis presque soulagé. Il ordonne une nouvelle prise de sang, plus complète, plus fouillée. Il dit : on doit en avoir le cœur net. J'ai l'impression qu'il emploie une formule passe-partout. Je ressors libre.

Paul est sur la même ligne : pas d'affolement. Je devine que sa placidité est un encouragement à rester calme.

Le jeudi, quand je reviens, d'abord on me prie de patienter. Je vois ainsi défiler devant moi des patients âgés qui se déplacent lentement tout en faisant rouler leur pied à perfusion, des aides-soignantes sortant des chambres après avoir fait la toilette de leurs occupants, des brancardiers pressés d'aller se griller une cigarette, des visiteurs à la mine préoccupée, je respire des odeurs d'éther, de cuisine et de merde. Puis on me précise que je vais être reçu par le Professeur L.-B. J'en conclus que les nouvelles ne sont pas encourageantes. On n'aurait pas sollicité un ponte pour rien. Finalement, je vois arriver une femme plutôt jeune, pas encore quarante ans, à l'allure décontractée (dans *Son frère*, j'en ferai un mandarin odieux, parce qu'il faut toujours un méchant dans les histoires). Je reprends espoir. Elle m'installe dans un bureau et me dit : on ne se connaît pas mais j'ai l'impression que je peux vous parler franchement. Je ne réponds rien. Elle répète, cette fois sous forme de question : je peux vous parler franchement ? Je fais oui de la tête. Elle dit : vous avez seize mille plaquettes, ce n'est pas bon du tout. Je murmure : ah, ça a baissé… Elle enfonce le clou : à ce niveau de médiocrité, deux ou trois mille de plus ou de moins, ça n'a aucune importance. Je comprends mieux ce que signifie sa franchise. Elle ajoute : une prise en charge s'impose, on ne peut pas vous laisser comme ça. Je dis : comme ça ? Elle dit : dans la nature. Elle explique que je dois être hospitalisé, d'abord pour qu'on m'ait sous la main *en cas de problème*, ensuite pour pousser les analyses, et même aller chercher du côté des virus les plus exotiques. Elle m'apprend qu'on va également me prélever de la moelle osseuse, afin de déterminer s'il y a un défaut dans la fabrication des plaquettes. Elle précise : on doit éliminer des hypothèses, vous comprenez, établir par exemple si votre organisme les fabrique en quantité insuffisante ou s'il les détruit. C'est seulement quand on aura la réponse qu'on sera en mesure de prescrire un traitement. Elle demande si j'ai des questions. Je dis non.

Si je suis honnête, je dois reconnaître que, à ce moment-là, je comprends que j'embarque pour un long voyage. Oui, la vision s'impose clairement. J'imagine des semaines, des mois. Je ne sais pourtant toujours presque rien de la maladie. À cette époque, on n'a pas Internet, on n'a pas instantanément toutes les réponses aux questions qu'on se pose et même à celles qu'on ne se pose pas, on n'est pas noyé sous l'information, au contraire on est noyé sous l'ignorance, on se débat dans l'ignorance, on n'a aucun moyen de savoir, aucun, on s'en remet aux sommités, on est dans l'impotence et dans la soumission.

Une infirmière me conduit dans une chambre, m'invite à me dévêtir, me désigne le lit, je dois m'y allonger. Elle dit d'une voix très douce : je vais vous sangler, il faut que vous bougiez le moins possible (qu'est-ce qu'on sangle, à part des animaux ou des fous ?). J'en déduis que la ponction sternale exige de la précision (et aussitôt, bien sûr, j'ai la trouille qu'elle rate son coup). Elle commence par une anesthésie locale, le liquide brûle un peu. Puis l'infirmière me plante une grosse seringue dans la poitrine au niveau du sternum, l'introduit en forçant, afin de ponctionner la moelle, et ça fait un bruit curieux, un clac, comme si quelque chose avait cédé, ou s'était brisé, et, à chaque ponction, la carcasse se soulève et je ressens une douleur vive. Pendant l'opération, alors que je suis étendu, je m'oblige à regarder un petit poste de télévision, installé en hauteur, branché sur M6, et qui diffuse des clips. C'est « L'Amour à la plage » qui passe, la vidéo ressemble à un petit film de vacances. Muriel, du groupe Niagara, fredonne, avec une étoile de mer en guise de boucle d'oreille : *Ce soir j'irai danser le mambo, au Royal Casino, sous les lambris rococo. La pluie viendra me faire oublier, tu me feras rêver, comme dans les chansons d'été. C'est l'amour à la plage, aouh tcha tcha tcha, et mes yeux dans tes yeux, aouh aouh, baisers et coquillages, aouh tcha tcha tcha, entre toi et le bleu, aouh aouh.* Et puis, c'est fini. L'aiguille est retirée. L'infirmière quitte les lieux. Je reste étendu, hébété.

Aujourd'hui j'ai le torse cassé, déformé, enfoncé.

(J'emploie ces adjectifs à dessein, je les emprunte à Hervé Guibert qui, de son côté, tenait sa mère responsable pour la déformation de son propre poitrail. Dans son *Journal*, il écrit : « La conversation entre la mère et le fils aurait pu se continuer ainsi : j'étais nu et misérable, posé sur cette table, mais dis-moi, avais-je déjà ce torse-là ? Ne seraient-ce pas tes contractions, tes tentatives d'expulsion, tes jeûnes prolongés, tes ivresses, qui ainsi m'ont cassé, déformé, enfoncé ? »)

Peu de temps après, quand il y pose la main, Paul dit : c'est vrai, ça n'est plus comme avant. Et tous les garçons qui lui succéderont, tout au long de ma vie, me diront : c'est quoi cette crevasse ? Tous. Il n'y en a pas un qui n'ait pas fait la remarque. C'est, de mon corps, la zone la plus sensible. Même S. a appris à la contourner.

L'opération révélera que la moelle n'est pas en cause. Le Professeur dit : on vient d'écarter une hypothèse fâcheuse (je ne demande pas combien il en reste). Elle énonce le protocole : on va vous mettre sous perfusion d'immunoglobulines, ça va permettre de faire remonter le nombre de vos plaquettes. Je m'étonne : alors, c'est ça, la solution, des immunoglobulines ? J'ignore absolument de quoi il s'agit, le terme m'est inconnu mais ça a l'air si simple, il n'y avait pas de quoi paniquer. Une maladie, un traitement, et voilà. Elle tempère mes ardeurs : on doit encore déterminer la cause de votre thrombopénie et, une fois que ce sera chose faite, on pourra la traiter, l'éliminer ; en attendant, ce qu'on vous administre peut n'être qu'un palliatif. Je ne comprends pas. Elle se fait plus précise : il y a trois chances sur quatre pour que les immunoglobulines suffisent mais il y a une chance sur quatre pour que les plaquettes chutent à nouveau dès qu'on les arrêtera. Cela ne me plaît pas tellement, cette histoire de probabilité. Elle enchaîne : il s'agit d'un traitement assez lourd, qui dure quinze jours à raison de six heures d'intraveineuse par jour. Je tombe des nues. Je proteste : mais j'ai des cours, moi, à la fac, et un stage qui commence en avril, c'est impossible. Elle dit : je vous propose un *deal.* Je jure qu'elle dit vraiment : un *deal.* À l'américaine. Comme si on était dans les affaires. Je dis : je vous écoute. Elle s'explique : vous venez tous les soirs à l'hôpital à vingt heures, on vous met sous perfusion jusqu'à deux heures du matin, vous passez la nuit sur place, vous êtes libre au petit matin, vous pouvez faire votre journée normalement, et vous revenez le soir. Elle ajoute que le traitement n'est pas fatigant, que je ressentirai peut-être seulement des maux de tête. Je dis : c'est d'accord. Elle dit : vous devez me faire une promesse, vous ne vous éloignez pas trop et à la première alerte, vous rappliquez. Je dis : c'est quoi, une alerte ? Elle dit : vous saurez. Je promets. Elle sourit.

Dans mon souvenir, ça commence tout de suite : on m'assigne une chambre, que je partage avec un nonagénaire (les maladies de sang sont souvent des maladies de vieux), on apporte des poches d'immunoglobulines, on me pique, la perfusion peut débuter. C'est officiel : je suis un malade, un patient.

(Ainsi je serai *tombé* malade juste après être *tombé* amoureux.)

Une précision : l'infirmière me plante un cathéter dans l'avant-bras. Elle explique : comme ça, on n'aura pas à vous repiquer chaque fois ; sinon, ça finit par faire des bleus ou nous, on ne trouve plus les veines. Quand reviendront les beaux jours, on s'étonnera que je conserve des vêtements à manches longues. Mais c'était ça ou être démasqué. Et je prendrai l'habitude de me déplacer avec un corps étranger.

Comme prévu, mon existence se découpe dès lors en deux temps très distincts : le *temps social* et le *temps médical*. Dans le premier, je suis des cours, je prépare mon avenir, je bois des coups avec des gens de mon âge, je poursuis mes amours clandestines. Dans le deuxième, j'obéis à des blouses blanches, je tente de sauver ce qui peut l'être, je fréquente des mourants, je suis allongé seul dans une obscurité corrigée par la blancheur saturée d'un couloir. Le jour et la nuit. Ces deux temps sont sans rapport l'un avec l'autre. Moi-même, je suis deux personnes. Dans un cas, insouciant, amoureux. Dans l'autre, soumis, anxieux. Ces deux personnes ne se connaissent pas. Elles ne parlent pas l'une de l'autre. Catherine s'en étonne : tu ne racontes rien, c'est comment l'hôpital, ça se passe bien, ils te disent quoi, ils te donnent des résultats ? Je réponds : ça suit son cours. Paul, lui, s'arrange très bien de ma schizophrénie : je lui plais quand je ris, quand je l'embrasse sous les portes cochères. Et il ne s'en étonne pas : il m'a vu à l'œuvre, il sait que je mens comme personne, que je peux facilement tromper mon monde.

Une fois, néanmoins, il laisse filtrer, malgré lui, une inquiétude. Alors qu'on est en pleine rue, je suis soudain saisi d'une horrible migraine, ma vue se brouille, je suis obligé de m'immobiliser, il enroule aussitôt son bras autour de moi, me fait asseoir sur un banc, s'agenouille devant moi, me dit : parle-moi, tu veux que je fasse quoi ? Je dis : c'est rien du tout, je vais prendre du paracétamol (je n'ai pas droit à l'aspirine qui fluidifie le sang), ça va passer. Il se relève, pose ses mains sur ses hanches tel un coureur essoufflé, puis se détourne. Il ne veut pas que j'aperçoive son émotion. À mon tour, je regarde ailleurs.

Le lendemain, il me dit, l'air sombre : je dois choisir.

Un abîme s'ouvre sous mes pieds. J'y suis aspiré.

Il précise : je dois choisir entre Paris et Bordeaux. Pour mon stage.

Je remonte à la surface.

(Mais je n'oublierai pas cette chute libre.)

Je mesure ce qui est en jeu. J'en ai une conscience très nette.

C'est très binaire.

Pourtant je m'oblige à une certaine neutralité : tu préfères quoi ?

Il dit, sans biaiser, sur le ton de l'évidence : le plus intéressant, c'est Paris.

Je dis : alors tu ne dois pas hésiter.

(J'ai répondu dans la précipitation, convaincu qu'il est en train de m'annoncer son départ, et ne voulant surtout pas paraître quémander une volte-face.)

Il me dévisage.

Je soutiens son regard.

Ses yeux noirs, dont je sais si bien d'ordinaire lire les messages qu'ils m'envoient et dont je peine, pour une fois – au pire moment – à déchiffrer ce qu'ils veulent me signifier.

Il dit : si tu me demandes de rester, je reste.

Un vertige.

Donc il tient à moi, à notre histoire, il est en train de l'avouer.

Une victoire, enfin.

Et les choses dépendent de moi, c'est la première fois, ça ne s'est jamais produit ; j'en suis décontenancé.

J'ai la trouille.

Tout se joue en cet instant.

(Oui, maintenant, avec le recul, j'ai compris que, d'une certaine manière, tout s'est joué en cet instant.)

Je dis : je veux ce qu'il y a de mieux pour toi.
(La guimauve de cette phrase, quand j'y pense.)
Voilà. Ce sera donc Paris.
Je viens de prononcer ma propre condamnation.
Il baisse la tête.
Game over.

Plus tard, je me demanderai s'il l'aurait réellement fait, s'il serait effectivement resté si je lui avais dit : reste. Je me demanderai s'il ne m'a pas mis au défi précisément parce qu'il était convaincu que je lui suggérerais de partir, que je ne me sentirais pas autorisé à le retenir, à rogner sa liberté. Je me demanderai s'il n'a pas couru ce risque parce qu'en réalité, ce n'en était pas un. (Il a toujours été si fort, si malin, beaucoup plus que moi.)

Plus tard, je me dirai, à l'inverse : il m'aimait, jusque-là le doute était permis mais, d'un coup, c'en était fini de ce doute affreux, oui il m'aimait, on ne dit pas une chose pareille si on n'aime pas. Et je m'en voudrai de l'avoir laissé s'échapper, je m'en voudrai jusqu'aux lisières de la démence. Je me sentirai seul responsable de notre séparation.

Dans mon abdication, je vois le dernier stade de son emprise sur moi. Je n'ai pas osé aller contre ses intérêts. J'ai pensé à lui avant de penser à moi.
Je vois aussi ma peur. Ma terreur.

Au beau milieu de ce désastre, une bonne nouvelle finit par arriver : les plaquettes sont remontées autour de quatre-vingt-dix mille. Pas encore de quoi pavoiser mais le risque d'un saignement imminent et excessif est écarté. Anéanti mais plus mourant.

Le Professeur me raconte la suite : on termine la session, puis on arrête les perfusions et on regarde ce qui se passe. Je dis : vous êtes confiante ? Elle dit : je fais des diagnostics, pas des pronostics.

Juste après, alors précisément que les immunoglobulines trouvent le chemin de mon sang par intraveineuse, et qu'étendu sur mon lit d'hôpital, je contemple, dans l'ennui, un ciel virant au sombre au-delà de la fenêtre de ma chambre, je devine une présence, je tourne la tête : Paul se tient dans l'embrasure de la porte. Il ne m'a pas prévenu de sa visite. Je ne m'efforce même pas de masquer ma surprise. Il avance dans la lenteur, comme en terrain miné, à l'évidence troublé par la scène. Je songe que c'est la première fois qu'il me *voit* à l'hôpital, qu'il *voit* ce que c'est, la situation d'être malade, de subir un traitement, d'être dans cette passivité, cette fragilité, cette soumission à quelque chose qui me dépasse, que je ne domine pas. Je présume qu'il est importuné aussi par les odeurs d'éther, de plastique. Entendant une aide-soignante courir dans le couloir, il se retourne brusquement, comme les enfants apeurés dans les châteaux hantés des parcs de vacances. Il ne m'embrasse pas, il dit juste : ça va ? Et j'ai l'impression que c'est à lui-même qu'il pose cette question. Il enchaîne sans attendre ma réponse, comme s'il éprouvait le besoin d'expliquer l'inopiné de sa visite : je pars après-demain, je voulais venir te dire au revoir. Il s'approche du lit, ne sait s'il peut s'y asseoir, paraît encombré de son corps. Il ajoute : je ne peux pas rester longtemps. Je devine qu'il a dû inventer une fable pour venir et qu'Isabelle s'étonnerait d'une trop longue absence. Il scrute le sachet de perfusion, l'intraveineuse. Il dit : ça fait mal ? Je souris, je dis : non, pas du tout, on ne sent rien, et puis c'est presque la fin. Il sursaute : la fin ? J'explique le protocole décidé par le médecin. Il ne ponctue pas. J'en déduis qu'il ne croit pas au miracle. Mais peut-être que je me trompe. Il jette un coup d'œil en direction de la porte, comme pour s'assurer que personne ne vient. Il pose alors sa main sur le rond de mon épaule. Je ressens dans ce geste un paternalisme qui me déplaît. Mais la main remonte jusqu'à mon cou, y dessine une caresse. Il dit : tu vas m' manquer (je l'écris comme il l'a prononcé, afin qu'on n'entende pas une solennité qui n'y était pas). Il m'embrasse furtivement. Et file aussitôt, sans demander son reste. Il sera resté cinq minutes à peine.

Je vais lui manquer.

Je me demanderai parfois si je n'ai pas inventé cette apparition, puis cette disparition.

Quatre jours plus tard, j'entame mon propre stage dans la filiale d'une entreprise publique, au Bouscat, une commune limitrophe de Bordeaux. Le soir venu, je me rends à l'hôpital pour une nouvelle prise de sang. Les résultats me sont communiqués le lendemain : les plaquettes, moins de quarante-huit heures après l'arrêt du traitement, ont chuté en piqué. Elles atteignent un niveau catastrophique.

Je suis convoqué dans la foulée chez le Professeur (un collégien qu'on défère devant le proviseur). Elle dit : vous allez commencer dès demain une nouvelle session d'immunoglobulines. Je dis : mais ça ne marche pas ! Elle dit : si, ça marche ! quand vous en prenez, votre numération remonte, ça vous met hors de danger et, nous, ça nous permet de continuer à chercher et d'envisager la suite. Elle fixe l'échéance : trois semaines. Pour la première fois, je comprends qu'elle tâtonne. (Sans doute il y a trente ans en savait-on moins qu'aujourd'hui sur cette maladie.)

L'infirmière dit : on va vous poser un nouveau cathéter. Elle a des cheveux attachés en chignon, tenus par un crayon, une mèche retombe sur le côté, elle a un sourire bouleversant.

Du personnel soignant, je ne conserve que le souvenir de la douceur. Peut-être ai-je idéalisé après coup. Et cependant, je ne crois pas. Je sais qu'il y a eu de la fatigue chez certains de ceux, de celles qui devaient s'occuper de moi et des moments taciturnes, je sais qu'il y a eu des soins délivrés à la hâte quelquefois, des refus de répondre, que je me suis agacé de certaines répétitions (et notamment le réveil aux aurores) mais à la fin, ce qui me reste, oui, c'est la douceur, la bienveillance. Cela tenait pour beaucoup au caractère de ces femmes et de ces hommes. À ma jeunesse aussi, probablement.

Curieusement, ce mois d'avril demeure assez flou dans ma mémoire. Je l'associe volontiers à une certaine routine entre les journées consacrées à mon stage et les nuits aux perfusions. Et le week-end, mes parents débarquent. Ma mère s'efforce tant bien que mal de surmonter son affolement (une mère peut-elle affronter pire épreuve que l'hypothèse de l'extinction de son enfant ?). Mon père, quant à lui, a des gestes toujours empreints de maladresse et ne parvient pas à soutenir mon regard, comme si c'était trop douloureux pour lui. Je devine qu'ils sont paniqués mais je les ai priés de ne rien en montrer. Je déteste l'ostentation, l'étalage des névroses. Je me méfie des épanchements, des passions tristes. Et surtout, je leur rappelle régulièrement que tout est sous contrôle, ce qui est exact la plupart du temps, et qu'on en verra le bout, ce qui est une tautologie bien commode.

Il y a autre chose : si on n'en parle pas, alors ça n'existe pas.

J'ai mentionné que ce mois d'avril était flou. Ce n'est pas tout à fait exact. Débute un rituel que je n'ai pas oublié : Paul m'appelle au téléphone un soir sur deux (ou sur trois) tandis que je me trouve à l'hôpital.

Je dis le soir mais c'est plutôt la nuit, le commencement de la nuit (il travaille tard, rentre tard chez lui).

C'est le calme aussi. Il n'a pas la télé dans le meublé qu'il loue en proche banlieue parisienne, il assure qu'il s'en fiche, que ça ne lui manque pas. Au début, je lui demande de me décrire l'appartement. Il dit : c'est petit, c'est marron, les propriétaires raffolent du marron visiblement. Je lui demande ce qu'il voit de sa fenêtre, il répond : des immeubles récents. Il contemple les lumières dans les dizaines d'appartements en face, le jaune orangé des éclairages intérieurs, le bleu des écrans de télévision, le noir des silhouettes, parfois il saisit des instants, un peu de la vie des autres ; ou bien il imagine, il s'amuse à imaginer, à dialoguer ces films muets. Je devine la frugalité, il sourit, confie qu'il mange peu et mal, prétend que c'est sans importance. Mais ce qu'il fait lui plaît ; son travail. Il ajoute : c'est ça qui compte.

Après, on parle de tout et de rien.

D'abord, je crois qu'il me téléphone pour déranger la tranquillité, pour faire la solitude moins grande, et puis, peu à peu, je me rends compte qu'il recherche une intimité, que, dans la distance kilométrique, dans le déracinement, dans l'aveuglement, il en est capable *enfin* ; ce n'est plus l'intimité des peaux, c'est celle des paroles. Infiniment plus dangereuse.

Néanmoins, parce qu'on ne change jamais vraiment, lorsque les paroles deviennent trop explicites, il change de sujet, me pose des questions sur l'hôpital, sur les malades, les aides-soignantes, il s'en revient au concret, au quotidien.

Il ne sait pas toujours raccrocher. Dans ces cas-là, je lui dis que je pense à lui ; que je pense à lui souvent. Aussitôt, il s'échappe, dit : au revoir, je rappellerai bientôt.

Une fois, il ne raccroche pas. Mais ne dit plus rien. Nous restons plusieurs minutes à écouter le souffle de l'autre.

Je crois que c'est à la même époque qu'a lieu une conversation avec Catherine. C'est le soir, je suis sous traitement. Catherine est venue passer une heure avec moi, pour que je m'ennuie moins. On parle de choses ordinaires, du printemps qui s'installe, de cette grande bibliothèque dont Mitterrand vient d'annoncer la construction, de je ne sais plus quoi encore et, soudain, elle dit : je me demandais, la maladie, tu la vois comme un *châtiment* des fois ? Je demeure quelques secondes sans voix. Puis je proteste : non, je n'ai pas commis de faute, je n'ai rien fait de répréhensible, d'immoral, c'est très judéo-chrétien, ton truc. Elle dit : je me suis mal exprimée. Elle reprend : une infection du sang, c'est pas banal, quand même, ça *dit* quelque chose, non ? Je ne comprends pas : ça dit quoi ? Elle précise sa pensée : qu'on se sent coupable, peut-être, ça traduit un sentiment qu'on porte et qui *se manifeste*. Du charabia pour moi. Elle poursuit : tu ne penses pas que tu as pu tomber malade à cause de *lui* ? Je proteste : non, on ne tombe pas malade à cause des gens, en tout cas on n'attrape pas ce genre de maladie. Elle ne se démonte pas : et ce n'est pas un message non plus ? Je reprends sa question : un message ? Elle dit : je ne sais pas moi, une tentative pour le retenir ? Je dis : non, ça ne parle pas, les maladies, ça ne demande pas quelque chose, et si c'était le cas, ça n'aurait pas été entendu puisqu'il a fichu le camp. Le silence reprend ses droits.

(Évidemment, cette façon que j'ai eue de protester puis de couper court à la conversation démontre que Catherine avait touché un point sensible, et, pour partie, énoncé quelque chose de profondément juste.

Oui, bien sûr, l'idée d'un *corps somatique* ne pouvait pas être écartée d'un haussement d'épaules.

Oui, bien sûr, la maladie était apparue tandis que nous contrevenions à une règle prétendument morale.

Oui, elle se développait alors que l'amour qui me nourrissait paraissait soudain menacé.

Oui, ça n'était pas nécessairement un hasard si mon corps exprimait une souffrance que mon esprit se refusait à prendre en compte.

Oui, je pensais en secret que ma soudaine fragilité était peut-être de nature à attendrir l'homme que j'aimais.

Oui, cet homme-là était parti et je sombrais et il était sans doute illusoire de n'y voir aucun lien de cause à effet.

En effet, mon corps semblait s'autodétruire à l'instant exact où j'éprouvais un cruel sentiment d'abandon. Ces deux événements n'étaient pas seulement juxtaposés, ils étaient liés.

Mais j'étais incapable de le reconnaître alors. Incapable même de le formuler. J'étais un type rationnel et les types rationnels ne se livrent pas à ce genre d'interprétations. Et surtout j'entendais démontrer que j'avais conservé une certaine maîtrise des choses. Alors qu'en réalité, tout était en train de m'échapper. J'avançais vers un précipice.)

À la fin du mois d'avril, il faut se rendre à l'évidence : en dépit de probabilités favorables, le traitement aux immunoglobulines a échoué. Dès la fin de la seconde session, les plaquettes sont retombées à un niveau extrêmement inquiétant. Le Professeur m'annonce qu'on va par conséquent passer aux corticoïdes. La cortisone devrait normalement libérer les plaquettes que mon foie ou ma rate séquestrent sans doute. On commence par une administration orale sous surveillance médicale. On observe comment je réagis. On adaptera les doses en fonction des résultats. Je dis : quelles sont les chances que ça fonctionne ? Elle dit : pas mauvaises. Je ne cille pas.

Rétrospectivement, je suis étonné par mon fatalisme. Quand j'y songe, je prends conscience que je n'ai pas posé tellement de questions. Je trouve deux explications à cette absence de curiosité : je faisais confiance à la femme qui savait et je préférais ne rien connaître des prochaines étapes si jamais les traitements en cours se révélaient inefficaces. Rétrospectivement encore, j'admets que je ne croyais pas à leur réussite. Très vite, j'ai eu l'intuition que mon organisme serait rétif aux solutions classiques.

(Dans ma relation avec Paul, j'ai fait montre aussi de passivité. J'ai marché dans son pas, accepté ses règles, je ne l'ai jamais brusqué, jamais défié, je n'ai même jamais envisagé de le rejoindre à Paris quand il s'y trouvait seul. Ce n'est pas seulement parce que j'étais faible ou parce que j'étais malade. C'est parce que j'avais tout bêtement peur de le perdre. Plus tard, Nadine me houspillera, me dira : mais tu aurais perdu quoi ? vous aviez quoi ? Nous avions les instants volés, les étreintes, nous avions le souvenir des étreintes, les paroles étouffées, la morsure de l'éloignement, nous avions la clandestinité, quelque chose qui n'appartenait qu'à nous deux, incommunicable au monde extérieur. Nous avions un *sentiment*.)

Le jour où je commence la cortisone, je prends une décision : ne plus consommer le moindre aliment contenant du sel. La raison en est simple : je ne veux pas d'un visage bouffi, couperosé, d'une peau fragilisée, d'un corps déformé. Je me remémore les hautes doses administrées à mon grand-père tandis qu'il se battait contre un cancer et les effets sur lui. Je me contenterai donc de blanc de poulet et de fromage blanc allégé. Je vais suivre ce régime drastique avec une rigueur exemplaire. Il aura une conséquence visible : aggraver ma maigreur, elle en deviendra effrayante. Quand le Professeur s'en rendra compte, elle me sermonnera mais rien ne me fera changer d'avis. Un mois plus tard, je suis émacié, décharné. Je pèse cinquante kilos.

Certains me reprocheront de m'être mis en danger, en atrophiant mes forces, en attaquant moi-même mes résistances. Moi, je sais que j'ai agi ainsi pour lutter justement, ne pas me soumettre complètement, en réponse à une agression. Paul, lui, sur l'instant, le comprend. Au téléphone, il dit : c'est toi qui sais le mieux. Il ajoute : quand je caresserai tes hanches, alors je sentirai les os, le squelette, et il éclate de rire. Je ris avec lui.

En mai, le soleil revient enfin. Je vais m'y exposer, pour effacer la pâleur, la lividité, et pour faire oublier la minceur excessive, pour donner l'illusion d'être en bonne santé. Je tiens à cette illusion. J'ai déjà compris qu'une illusion pouvait avoir plus de puissance que le réel.

Je demande à Catherine de me prendre en photo (je l'ai priée d'apporter son Polaroid). Elle est un peu surprise par ma requête (elle connaît ma répugnance) mais ne discute pas (elle dira plus tard que je me suis montré autoritaire, qu'elle n'a pas osé aller contre ce qui lui est apparu comme un ordre, elle dira aussi qu'elle tremblait, qu'elle avait la sensation de fixer l'image d'un condamné, à sa demande).

On s'installe dans le jardin, je porte un tee-shirt ample, je souris exagérément. Quelqu'un qui ne me connaît pas verrait un jeune homme joyeux dans un paysage bucolique.

La photo, je l'envoie par la Poste à Paul (pas de mail à l'époque, juste des enveloppes, des timbres, de la lenteur ; c'est un peu terrible, du reste, qu'on ait égaré cette lenteur qui aiguisait le désir).

Un soir, il me dit : j'ai rangé la photo dans un livre que je lis le matin et le soir dans le RER.

J'aime l'idée d'être glissé entre les pages d'un roman, de tenir entre ses doigts.

Lui sait que cette photo ment mais ça, il ne me le dit pas.

Un autre soir, tandis que nous nous parlons au téléphone, en évitant soigneusement comme d'habitude de prononcer des paroles trop sentimentales, escomptant que les silences et les sous-entendus les contiennent, je lance soudain parce que, depuis mon lit, j'aperçois une silhouette dans le couloir : je ne t'ai pas dit, il y a un nouvel interne dans le service, il est canon, avant de me lancer dans une description détaillée et enjouée du jeune homme. Quand j'ai terminé, la réplique est aussi inattendue que cinglante : si tu t'approches de lui je te tue. J'éclate de rire, convaincu qu'il s'agit d'une plaisanterie. Mais je comprends aussitôt à entendre son souffle saccadé, contrarié, que Paul n'est pas en train de plaisanter. Je cherche à m'en assurer, je le questionne : tu es sérieux, là ? Il ne répond pas. J'entends encore la respiration hachée, la douleur. Je devine le regard noir, blessé. Je songe : il est gonflé quand même, voilà un type qui trompe sa femme et qui exige la fidélité ! Pourtant, je n'exprime pas cette pensée parce que, dans mon oreille, sa subite jalousie, son incontrôlable jalousie disent mieux que n'importe quel mot son attachement et j'en suis affolé. C'est à mon tour d'avoir le souffle court. Je tâche de m'en sortir par une pirouette, je dis : je te fais marcher. Et je change de sujet. Mais il restera que ce moment a existé, que cet élan irrépressible a existé, qu'une menace extravagante a été proférée parce que c'était insupportable pour lui, tout à coup, que je puisse m'intéresser à un autre.

(Je le concède : ce soir-là, je n'ai pas parlé du bel interne par hasard, j'ai tenté quelque chose, j'ai réussi ; au-delà de mes espérances.)

Grâce à la cortisone, les plaquettes remontent, je devrais en être rassuré, acquérir la conviction que je suis engagé sur la bonne voie et qu'il convient de poursuivre. Cependant, sans préavis, sans en prévenir personne, un matin, j'arrête tout. Voilà, je cesse d'avaler les comprimés. Je ne souffre pas particulièrement, le traitement n'est pas en soi douloureux, néanmoins je ressens, *au-dedans*, la *dégradation* de tout mon être, comme si un pourrissement était à l'œuvre, un avilissement. Qui plus est, je suis désormais victime de saignements. Le matin, quand je me réveille, il n'est pas rare que je repère des traces de sang sur les draps, je tâche de les faire partir en frottant avec de l'eau chaude et ça ne part jamais tout à fait.

Mais, surtout, il me semble que les autres voient mon mal, qu'ils le repèrent désormais, qu'ils le détectent (certains lui donnent un autre nom, un acronyme) et s'en affligent aussitôt. Cela tient à un léger voile dans leur regard, un embarras, une interrogation qui reste en suspens.

Cette affliction m'est insupportable.

Je songe : ça ne peut plus durer.

Alors j'arrête.

Comme on débranche un type en fin de vie.

Parfois, on agit contre ses propres intérêts. Mais, sur le moment, on ne le perçoit pas. On veut juste être laissé tranquille.

Parfois aussi, le corps dirige la tête.

Quelques jours plus tard, les résultats d'une prise de sang viennent démasquer mon écart de conduite, ma désobéissance : neuf mille plaquettes ; pire que jamais. Le Professeur m'interroge et j'avoue sans détour. Je présume qu'elle va me houspiller, pointer mon irresponsabilité ; il n'en est rien. Elle s'exprime avec une voix douce, posée. Elle dit : ça arrive, ça arrive qu'on n'en puisse plus, je ne vous en veux pas, et puis c'est votre liberté, mais j'aurais quand même préféré que vous m'en parliez, on aurait essayé de trouver une solution, là il va falloir qu'on pare au plus pressé, on peut vous perdre. Elle prononce les mots pour la première fois. *On peut vous perdre*. Je devine qu'ils lui coûtent, qu'elle ne les prononce pas à la légère. On peut vous perdre. Je me souviens aussi qu'elle mise sur la franchise. Et qu'elle ne prend pas les patients pour des enfants, des êtres fragiles à qui on devrait cacher la vérité, ou n'en fournir qu'une parcelle. Désemparé, je dis : on fait quoi ? Elle dit : on vous hospitalise, on vérifie que vous ne faites pas une hémorragie interne, et on reprend le traitement aux corticoïdes. Elle ne dit pas : on vous remet une laisse, mais c'est ça l'idée.

Elle poursuit : on va procéder à une scintigraphie de votre foie et de votre rate, il est vraisemblable que l'un de ces deux organes détruit vos plaquettes. Il s'agit d'une exploration, on va vous injecter un liquide bleu et regarder au travers. Ça va demander quatre jours, on sonde à intervalles réguliers toujours au même endroit. Vous allez voir, on va vous dessiner des pointillés sur le ventre, c'est très joli. Elle sourit. Je ne m'y trompe pas : elle sourit pour occulter la gravité de la situation. Peut-être encore porté par la rébellion qui entraîne le branle-bas de combat, je m'autorise à lui poser des questions : si on se rend compte que c'est le cas, je veux dire, si la rate ou le foie sont en cause, qu'est-ce qui se passe ? Elle hésite. Je la vois distinctement hésiter. Ses paupières battent, il y a un silence trop long avant la réponse, une nervosité qui lui échappe. Elle finit par dire : on pourrait être conduit à pratiquer une ablation de la rate. Et elle s'interrompt. C'est moi qui reprends : et pour le foie ? Elle tranche : on ne retire pas un foie. J'ai compris. J'accuse le coup. Elle dit : on n'en est pas là.

Paul continue de me téléphoner. Parfois, quand il s'écoule trop de temps entre deux appels, c'est moi qui prends l'initiative de le joindre. Je commence toujours par un : j'espère que je ne te dérange pas. Une phrase que, lui, ne prononce jamais. C'est lui qui a raison, bien sûr. Nous n'en sommes plus là. Et puis c'est ridicule, à la fin, cette infériorité ; malgré tout, je ne peux pas m'en empêcher.

Lui ne commence jamais par me demander des nouvelles de ma santé et j'y vois une élégance, une façon de ne pas me considérer d'abord comme un malade, de refuser toute compassion dégoûtante. À la place, il raconte Paris, son stage, les choses du quotidien qui le surprennent. J'entends sa ferveur dans le combiné quand il raconte Paris. J'entends une diversion aussi. Parler du quotidien permet de ne pas parler de nous.

Un jour, il m'annonce qu'on va probablement lui proposer de rester. Et je suppose que c'est déjà fait. L'information me fait l'effet d'un coup de poignard, pourtant je m'efforce de masquer le mal épouvantable qu'elle me cause. De toute façon, je sens, chaque fois un peu plus, que l'éloignement fait son œuvre. Paul est en train de s'inventer une nouvelle vie. Moi, je suis l'ancienne vie.

Comme s'il devinait ma tristesse, il dit : il faudra que tu viennes à Paris, toi aussi, de toute façon. C'est là que tout se passe.

Lorsque, finalement, il me demande comment je vais (sans y mettre la moindre pointe d'apitoiement), je lui mens, pour la première fois. Je dis : ça se stabilise. Mon mensonge relève du pur orgueil, c'est ma façon de signifier : tu n'es pas le seul à aller bien. Si j'avouais la vérité, je serais décidément lamentable.

(Que je vous dise aussi : il ne vient pas me rendre visite lorsqu'il rentre à Bordeaux le week-end. Il a un excellent prétexte : Isabelle ignore tout de mon état, il ne lui en a rien dit. Comme je finis par m'en étonner, il dégaine une objection toute prête : tu m'as expliqué que tu souhaitais que personne ne sache, je t'ai obéi, moi. Je cède aussitôt. Je devine que, derrière cet argument, se niche la volonté de ne plus mettre son couple en danger. C'est presque imperceptible et, cependant, c'est très net.)

Mes parents, eux, entendent la vérité. De ma bouche. Au préalable, j'ai dit au Professeur : laissez-moi leur annoncer, c'est mieux si c'est moi qui leur annonce.

Ma mère est sonnée, elle trouve une chaise où s'asseoir, où s'avachir plutôt. Mon père s'accroche aux barreaux du lit, ses articulations blanchissent tant il s'accroche. Je dis : ça va aller.

J'apprends par Catherine, qui les croise parfois, qu'ils s'interrogent sur mon attitude. Ils cherchent à savoir ce que je ressens, si j'ai peur, si je suis résigné, si je suis lucide. Ils s'étonnent de ma placidité, ils sont persuadés qu'elle n'est qu'apparente. Catherine les rassure : je ne l'ai jamais vu flancher, il est persuadé qu'il va s'en sortir. Elle ajoute aussitôt, apercevant leur effroi : et évidemment qu'il va s'en sortir.

Maintenant, évoquer le 5 juin 89. Le jour du huitième de finale de Roland-Garros entre Ivan Lendl, numéro 1 mondial, et un gamin de dix-sept ans sorti d'à peu près nulle part : Michael Chang. On ne sait pas encore que le match va entrer dans l'histoire du tennis, que les gens s'en souviendront. Je suis à Saint-André, assis dans un fauteuil en skaï, dans une salle exiguë où est installé un poste de télévision, je regarde le match avec d'autres patients. Au début, presque machinalement, parce qu'il n'y a rien de mieux à faire. Pourtant, comme les autres, je suis progressivement happé par la tournure que prend la partie. Ce devait être une promenade de santé pour Lendl, le Tchèque a d'ailleurs remporté facilement les deux premiers sets, mais il est accroché désormais par le petit teigneux. L'impassible, l'austère perd ses nerfs peu à peu, parce que l'autre, en face, le fait déjouer, l'exaspère, et ruse. Et le public ne s'y trompe pas. Il donne de la voix en faveur de l'adolescent, réclame la mise à mort du mal-aimé, soutient David contre Goliath. On dispute le cinquième set quand une infirmière fait son apparition, elle dit : je vous cherchais, monsieur Besson, vous n'étiez pas dans votre chambre, je dois vous faire votre prise de sang, vous savez bien. J'acquiesce sans lui accorder beaucoup d'attention, d'autant que ces prélèvements sont devenus une routine. Elle comprend qu'il se passe quelque chose à la télévision et sans doute y jette-t-elle un coup d'œil, malgré elle, tandis qu'elle pique. Et voilà qu'elle rate son coup, qu'elle manque sa cible. J'éprouve aussitôt une très vive douleur. Ma vue se trouble, je ressens des picotements sous la peau, et tout autour de moi devient imprécis, nébuleux, presque ondoyant. J'entends l'infirmière hurler : vite, il fait un malaise. Son exclamation me désarçonne mais ne m'empêche pas de m'avachir. Ses collègues accourent, je perçois cet empressement, l'agitation subite, c'est immanquable, les autres se sont retournés, ils ne regardent plus le match, ils ont des airs inquiets, je m'en rends compte malgré le trouble. À quatre, elles me soulèvent par les aisselles, les chevilles, je pèse le poids d'une plume, elles me transportent jusqu'à ma chambre, je me souviens des néons défilant au plafond du couloir, elles m'étendent sur mon lit sans beaucoup de précautions. L'une d'entre elles murmure : je ne trouve pas son pouls ; a-t-elle peur que je l'entende ou parle-t-elle pour elle-même ? Je suis une chose molle, inconsistante. Je voudrais soulever un bras ou me redresser mais j'en suis littéralement incapable, mon corps n'obéit plus, ne réagit plus. Je suis saisi par la panique, sans pouvoir la manifester. Une autre voix dit : sa tension artérielle est à 5. Je comprends qu'il s'agit d'une information inquiétante. Dans la foulée, une infirmière m'administre des sels, me force à avaler des sucres tandis qu'une autre me pose une perfusion avec une célérité et une précision extravagantes (quelle potion magique m'administre-t-elle ?). Alors, peu à peu, miraculeusement, l'affolement s'estompe, le calme revient, la chambre cesse d'être un bateau ivre, les membres commencent à réagir à nouveau, recouvrent leur mobilité, le pouls s'accélère, comme une voiture redémarre, reprend un battement presque normal, je m'en retourne dans le réel. Une voix, surgie de je ne sais où, lance : vous nous avez fait peur. Je surprends le sourire que deux infirmières s'échangent. Une larme roule sur ma joue.

Que je vous dise : je n'ai pas vu la fin du match, je n'ai pas vu Chang perclus de crampes servir à la cuiller, je ne l'ai pas vu non plus sur la balle de match s'avancer à mi-terrain et forcer son adversaire alors au service à commettre une double faute, je ne l'ai pas vu s'écrouler de bonheur et de fatigue sur la terre battue, je n'ai pas vu la défaite de l'invincible Lendl.

Presque au même moment, à Pékin, sur la place Tiananmen, un homme seul, sans arme, se tient debout devant une colonne de chars, l'empêchant d'avancer. L'image fait le tour du monde. Cette image-là, j'ai fini par la voir, mais longtemps après.

Les résultats de la scintigraphie sont formels : c'est la rate qui détruit mes plaquettes. Cette mauvaise nouvelle en cache une bonne, en réalité : le pire est évité. Le Professeur résume : nous voilà au moins avec une certitude. Je tempère ses ardeurs : on sait pourquoi elle fait ça, ma rate ? Elle concède son ignorance et je distingue dans l'affaissement de ses traits un orgueil blessé face à l'inexplicable. Je dis : alors, on va me la retirer, n'est-ce pas ? Elle me corrige : avant, on va tenter un bolus de cortisone. Jamais entendu ce terme. Elle m'éclaire : de la cortisone à haute dose, en perfusion. Je songe qu'il s'agit d'un baroud d'honneur. Elle se donne bonne conscience, elle voudra pouvoir se dire : j'ai tout essayé.

À Paul, je dis : alléluia, on a trouvé ! (j'y mets un peu trop de bonne humeur) j'ajoute : maintenant c'est « piece of cake » (je me rappelle fort bien avoir employé cette expression grotesque). Paul douche mon optimisme fabriqué : je sais quand tu me racontes des histoires.

Le lendemain, un homme meurt. Un homme meurt dans le service. Un homme qui occupait la chambre à côté de la mienne. Il succombe à une leucémie. Il était hospitalisé depuis des semaines, son état était grave mais les murmures de couloir prétendaient qu'il s'était stabilisé, de sorte que sa mort me prend par surprise. C'est assez terrible, évidemment, un décès dans un hôpital, on devine facilement l'impact qu'un événement pareil peut avoir sur les autres patients, alors des efforts sont accomplis par le personnel pour le faire passer inaperçu et ce sont précisément ces efforts déployés qui rendent la disparition plus patente encore. Un protocole bien réglé se met en place mais il est accompagné de déplacements rapides, de conversations étouffées, de regards échangés où se lit la préoccupation, la porte de la chambre est fermée, et ça nourrit les fantasmes, et ça fabrique des visions, derrière on devine que des infirmières s'affairent, débarrassent le mort de tous les tubes qui le maintenaient en vie, de tous les ustensiles qui attestaient qu'il était encore de ce monde, elles roulent les draps en boule afin qu'ils soient envoyés à la lingerie, rangent les effets personnels, aèrent les lieux, et finissent par installer le cadavre sur un chariot roulant, le recouvrent d'un linceul et attendent que la voie soit libre, que nul autre malade n'arpente le couloir, pour le conduire jusqu'à la chambre froide. Mais quand le chariot passe devant nos portes restées entrouvertes, on sait ce qui advient, on n'est pas idiots, on a compris, on voudrait ne pas regarder et on regarde quand même, de la même manière qu'on ralentit sur la route à l'endroit où s'est produit un accident de la circulation, on a cette pulsion morbide, on ne peut pas s'en empêcher, et on éprouve un drôle de sentiment, on ne le connaissait pas, ce type-là, on ne savait presque rien de lui, mais on lui a parlé trois ou quatre fois quand même, on a croisé sa femme, ses enfants, on s'est retrouvés avec lui au jardin d'hiver, on a plaisanté sur nos pieds à perfusion respectifs, sur la nourriture qui n'est pas bonne, sur les réveils à six heures du matin, et maintenant il est parti, on ne le verra plus, c'est fini, et on sait nous ce que c'est que d'être là, dans cet hôpital, on partageait ce savoir avec lui, les autres, les gens du dehors, ceux qui viennent rendre visite et qui repartent quand s'achève l'après-midi ils ne savent pas, pas comme nous, on a perdu une personne avec qui on partageait ce secret, c'est un membre de cette communauté étrange qui s'en est allé, et toute la communauté l'éprouve, on a de la tristesse, une tristesse particulière, inexplicable, incommunicable, et fatalement on se dit qu'on pourrait être le prochain, que si ça lui est arrivé à lui ça peut tout aussi bien nous arriver à nous, ça nous renvoie à notre fragilité, notre précarité, notre révocabilité, on se regarde, les survivants, les encore là, on se compte.

La succession de ces événements, sans lien les uns avec les autres, pur produit du hasard, diffuse une inquiétude poisseuse.

Quelques jours plus tard, l'été approche, je suis étendu sur mon lit, le dos appuyé sur des oreillers, le bras gauche posé sur les draps, de la cortisone est injectée dans mes veines, quand je vois apparaître (ou plutôt débarquer) dans ma chambre la personne que j'y attendais le moins : Isabelle. L'épouse de l'homme que j'aime.

Elle lance : je suis venue dès que j'ai su, tu imagines bien ! Et elle m'embrasse, sans que j'aie eu le temps de me remettre de ma surprise. Elle enchaîne : j'ai engueulé Paul ! *C'est incroyable qu'il m'ait caché ça !* Je songe à quelle autre réalité ses mots pourraient s'appliquer et cela me glace le sang.

Aussitôt, je me demande pourquoi il a finalement rompu sa promesse de se taire.

Plus tard, il me fournira une explication, il dira : c'est tout bête, j'ai gaffé, on était au téléphone elle et moi, à un moment la discussion est venue sur toi, je ne sais plus pourquoi, j'ai dit que tu m'avais appelé *de l'hôpital*, c'est sorti, le coup était parti, c'était trop tard, il a bien fallu que je raconte.

Je ne croirai pas à cette explication. Je suis convaincu que les mots n'ont pas pu lui échapper, il se contrôle tout le temps, il ne s'est jamais trahi concernant notre liaison, il a l'habitude du mensonge. Non, il a fait exprès de le dire, ça le brûlait.

Depuis plusieurs jours, il disait au téléphone combien notre intimité nocturne était curieuse, et combien elle lui était nécessaire, et combien, en même temps, elle faisait de lui un type malhonnête. Il pensait : *ce qu'on se dit, c'est peut-être pire que ce qu'on a fait.* Au fond, son aveu n'a été au mieux qu'un acte manqué.

Et puis il savait pertinemment comment Isabelle réagirait, qu'elle aurait immédiatement un élan envers moi, il nous a rapprochés en conscience, justement pour atténuer sa culpabilité. En me rangeant parmi les fragiles, il a fait de moi la victime, l'insoupçonnable ; de lui l'ami, le charitable.

Mécaniquement, je protège le « fautif », je dis : c'est moi qui lui avais ordonné de ne pas t'en parler… Elle s'emporte : mais enfin, je suis *sa femme* ! J'aurais pu comprendre, j'aurais respecté ta volonté.

Je suis tenté de lui faire remarquer que, précisément, elle est en train de la fouler aux pieds, ma volonté, qu'elle n'en a pas tenu compte du tout, cependant je m'abstiens. Je sais combien sa spontanéité emporte tout sur son passage.

Du reste, elle produit d'autres ravages, cette spontanéité car voici qu'elle lance : c'est un mauvais réflexe, la solitude, le silence, quand on est malade, tu sais ! Il faut parler au contraire, pas tout garder pour soi, parce que sinon ça grandit, ça te ronge.

Je présume que c'est l'infirmière qui s'exprime. Et peut-être l'infirmière a-t-elle raison. Mais je m'en fiche un peu : moi, je sais que ce silence me convient, que je l'ai voulu comme une barrière de protection. C'est comme des barbelés, le silence, ça empêche les intrus d'approcher.

Elle scrute la perfusion. Elle dit : c'est quoi ? Je dis : un bolus de cortisone. Elle s'étonne : Paul ne me l'a pas mentionné. Je dis : il ne sait pas, je n'ai pas voulu l'inquiéter. Je lui livre alors un résumé de la situation. À mesure qu'elle l'entend, son visage demeure impassible. À l'évidence, j'ai affaire à une professionnelle, habituée à devoir ne rien montrer en toutes circonstances. Je préfère encore ça. Juste après, une fois que mon récit est achevé, son visage s'affaisse, avant de s'obliger à un sourire, comme si l'intime avait repris le dessus. J'en suis décontenancé. Je répète ma phrase fétiche, passe-partout : ça va aller.

Elle comprend qu'il vaut mieux changer de sujet. Et, de toute façon, que pourrait-elle ajouter ? Les maladies dangereuses des autres nous laissent souvent impuissants, stériles.

Alors, elle se met à parler de lui, celui qui nous a présentés l'un à l'autre, celui qui nous réunit, Paul Darrigrand.

Elle dit : c'est difficile, tu sais, de vivre séparée de lui, tu rentres à la maison le soir et il n'est pas là, tu te couches il n'est plus à côté, le téléphone ça ne remplace pas, les week-ends ça n'est jamais assez.

Je l'entends exprimer le manque de lui. Je me mords les lèvres, elles pourraient saigner.

Elle dit : et puis c'est difficile d'admettre qu'il a une vie sans toi, en dehors de toi, qu'il voit des gens, qu'il sort le soir, au fond tu voudrais que les gens que tu aimes ne sachent pas se débrouiller sans toi.

Tous ses mots, je pourrais les prononcer.

Elle dit : sans doute que je suis un peu jalouse aussi, et comme je ne sais pas toujours ce qu'il fait de ses journées, de ses soirées, ça m'arrive d'imaginer des choses, je m'en veux mais c'est plus fort que moi.

Je tourne la tête vers la fenêtre de la chambre, vers la lumière de l'été.

Elle dit : Paul, c'est quelqu'un de secret, je l'ai compris dès le premier jour, il ne se livre jamais complètement, il garde pour lui, il a des mystères, tu as dû remarquer ? Je dis : oui, j'ai remarqué. Sans m'appesantir. Elle poursuit, sans s'attarder : dans un magazine, il y avait un article sur ça, ça disait que tout le monde a une part d'inconnaissable, j'ai retenu l'expression.

Elle me trouble, moi aussi, cette expression : *la part d'inconnaissable*. L'idée qu'il demeurera toujours chez l'autre quelque chose d'ignoré, de confidentiel, d'irrévélé.

Elle dit : ça me plaît, et parfois ça m'inquiète.

Elle a raison.

D'être inquiète.

Et aussitôt, elle chasse cette mauvaise pensée : mais bon, tout ça, ce sera bientôt terminé. Je dis : tout ça ? Elle s'explique : l'éloignement ; il a dû t'apprendre que son entreprise le gardait, alors on va s'installer à Paris, j'ai demandé ma mutation et je l'ai obtenue, je le rejoins début août, on cherche un logement, on ne peut pas habiter à deux dans son minuscule studio. Elle délivre l'information avec une sorte de gaieté, d'enthousiasme (je pourrais prendre sa tête entre mes mains et l'écraser contre le mur). La perspective de ce déménagement l'enchante. Elle dit : c'est le début d'une nouvelle vie, on n'a jamais vraiment quitté Bordeaux, mais faut bien se lancer, on a vingt-cinq ans, c'est le moment. Je dis : c'est formidable pour vous.

Après, je ne sais plus très bien. Elle reste encore un peu, je la revois assise sur le rebord du lit, elle continue à parler, elle sourit, et même s'esclaffe, elle est si vive, elle agite les mains aussi, mais je n'entends plus rien, les sons me parviennent déformés. J'ai cette faculté à m'abstraire des conversations quelquefois, à donner l'illusion d'écouter, de m'intéresser alors que tout n'est plus pour moi qu'un babil indistinct, je peux même cligner des yeux, approuver d'un hochement de tête, sourire à mon tour, mon cerveau est capable de commander ces réactions aux moments opportuns, et les gens sont persuadés que je suis attentif, ils n'y voient que du feu. Il arrive également que ce désintérêt soit la conséquence d'un choc violent ; reconnaissons que c'est le cas en l'espèce. En revanche je me souviens que le soleil dépose un rai sur les draps, sur le lino de la chambre ; les détails, toujours. Les détails qui sauvent.

Le lendemain, Paul me téléphone. Je présume qu'Isabelle lui a fait part de sa visite et de notre conversation. Pourtant, il n'en fait pas état, comme s'il n'y avait rien dans tout ça qui soit susceptible de retenir l'attention ni d'appeler des commentaires. Il parle de l'été, des beaux jours. C'est moi qui finalement aborderai le sujet de Paris (le seul qui m'intéresse). Il laisse tomber négligemment : tu finiras par y venir, toi aussi, je te l'ai déjà dit.

Quand je raccroche, je ne sais plus quoi penser. Veut-il me signifier que l'histoire, la nôtre, se poursuivra, puisque inévitablement nous serons bientôt de nouveau réunis ? Ou, à l'inverse, en acte-t-il la fin, puisque s'ouvre pour lui une nouvelle étape ? Décidément, il ne renonce pas à ce qui fait sa force et mon drame : son opacité. Décidément demeure ce qui nous lie depuis le commencement : je suis sous son emprise.

Le jour suivant, il appelle encore. J'en suis surpris : il ne se manifeste jamais deux jours de suite. Il est assez tard, je crois, en tout cas je suis déjà plongé dans un demi-sommeil, ça tangue autour de moi, pourtant j'entends d'emblée que sa voix est différente, je le lui fais remarquer, il dit qu'il a bu, qu'il y a eu un pot de départ à son bureau, un pot qui s'est prolongé dans un bar des alentours, il parle beaucoup, de choses sans véritable lien les unes avec les autres, comme on le fait parfois quand on est ivre, et moi je ne dis presque rien, décontenancé par ces mots titubants, et soudain il s'arrête, c'est très net, il y a un long silence, je finis par demander s'il est toujours là, il ne répond pas, s'il va bien, il ne répond toujours pas, et finalement, sans prévenir, il reprend la parole, il dit qu'il s'en veut de m'avoir *abandonné*, que certains jours pour lui c'est insupportable d'être loin quand je vais *si mal*, qu'il préférerait être là, avec moi, dans la nuit de l'hôpital, mais que jamais je ne le lui ai demandé (il répète le *jamais*), que c'est ma faute tout ça, il dit que je me débrouille sans lui, que c'est ce que j'ai choisi, me débrouiller sans lui, et il ajoute cette phrase – inoubliable, fondamentale – pour enfoncer le clou et me crucifier davantage (mais ce sera la plus violente et la plus douce des crucifixions) : *c'est toi qui m'as demandé de partir, moi je voulais rester.*

Il raccroche aussitôt. Je le rappelle dans la foulée. On ne peut pas laisser cette phrase en suspens, on ne peut pas. Même s'il est ivre, même si ça tangue dans cette chambre sous l'effet du demi-sommeil et des médicaments, elle a été prononcée, cette putain de phrase. Mais le téléphone sonne dans le vide. Atroce, ce téléphone sonnant dans le vide. Atroce.

Longtemps, je me demanderai si je n'ai pas rêvé cette scène. Jamais je n'oserai lui en reparler.

On approche de la fin du mois de juin, le Professeur me dit : il faut qu'on ait une discussion. Je surprends une détresse dans son regard, une détresse jamais aperçue jusque-là. Il s'y glisse aussi une sorte de résignation, comme si elle s'apprêtait à concéder une défaite. Elle me ferait presque de la peine, je suis tenté de la consoler, je me suis pris d'affection pour elle ; avec le temps. Elle dit : le bolus de cortisone a produit des résultats mais, comme on pouvait le craindre, les plaquettes sont retombées dans la foulée, à un niveau extrêmement faible ; ça ne peut plus durer.

Après coup, je me demande comment elle a osé dire : *ça ne peut plus durer*. Pourtant, je comprends le sens de la phrase, la nécessité où nous nous trouvions de sortir des solutions temporaires, provisoires, des échecs répétés, la nécessité de ne pas rester suspendu à ce fameux risque hémorragique, à la dévastation possible à chaque instant. Mais la phrase est si abrupte, si cinglante ; si cruelle. Certes, elle exprime une autorité, un sérieux, cependant sur le moment je n'en perçois que la brutalité.

Elle poursuit : on n'a plus qu'une solution, la splénectomie. Jamais entendu ce terme. Elle traduit : l'ablation de la rate. Je m'étonne : j'avais cru comprendre que vous vouliez éviter d'en arriver là… Elle considérait qu'il s'agissait d'une *dernière extrémité*. Elle ne baisse pas les yeux : nous n'avons pas le choix. (Elle dit nous, pas on : ce *nous* vaut-il pour la communauté médicale ou pour elle et moi ?) Je contemple la fixité de son regard mais la désolation, malgré ses efforts, n'y a pas disparu. Et c'est bien une défaite qu'elle concède. Je demande : c'est vous qui allez m'opérer ? Elle dit : non, je vous confie à un chirurgien. La capitulation est totale : je lui échappe, je passe entre les mains d'un autre, elle ne peut plus rien pour moi. Elle enchaîne : on pourrait faire ça le lundi 3 juillet. Je dis : ce n'est pas possible, j'ai mon grand oral de sortie ce jour-là. Elle n'argumente pas : alors le 5. Va pour le 5. Elle apporte une précision : on refera un bolus, juste avant l'opération, uniquement pour vous remonter. Comme je m'en étonne, elle s'explique : on ne sait pas opérer quelqu'un qui ne coagule pas. Je dis : il y a un risque pendant l'opération ? Elle dit : il y a toujours un risque, notre boulot c'est de le minimiser.

Alors que je m'apprête à quitter son bureau, je m'adresse à elle une dernière fois : c'est quoi, mes chances de guérison, après ? Elle biaise : il n'y a pas de statistiques. J'insiste. Elle continue d'esquiver : tous les cas sont différents. Je repose ma question. Elle est décontenancée par mon insistance, ma résistance. Elle dit : deux sur trois, en général.

Dans *Son frère*, j'ai écrit précisément la pensée qui m'est venue, traduisant les chances de guérison en risques d'échec : « Aussitôt, je fais le compte : à la roulette russe, il faudrait mettre deux balles dans le barillet. »

Je songe que jusque-là, je suis toujours tombé du mauvais côté des probabilités. Les immunoglobulines devaient fonctionner, ça n'a pas été le cas. La cortisone devait fonctionner, ça n'a pas été le cas. Et je ne perds pas de vue qu'on n'a toujours pas compris pour quelle raison ma rate a décidé un jour de détruire mes plaquettes. À mes parents qui sombrent dans la pire angoisse lorsque je leur annonce l'opération et son imminence, je dis en riant : il faut voir le bon côté des choses, après je pourrai courir comme un dératé.

Personne ne rit en retour.

Pas ma meilleure blague, j'en conviens.

J'allais oublier : avant l'opération, on me vaccinera contre des tas de choses, des maladies exotiques qu'on risque d'attraper quand on est privé de sa rate, on m'expliquera aussi qu'on s'arrange pour m'épargner une septicémie. À ce stade, plus rien ne m'étonne. Mais je me remémore l'endolorissement provoqué par ces piqûres successives. Comme si on avait cogné contre mon épaule gauche (où sont injectés les vaccins) à coups de marteau.

Le lundi 3 juillet, comme prévu, je me présente à l'institut pour passer mon grand oral. Ceux qui ne m'ont pas vu depuis la fin mars sont effarés par mon apparence, ma maigreur. Leurs regards en disent long. Leur réconfortante maladresse aussi. Leur curiosité hésite entre la compassion et la frayeur. Je balaye l'ensemble : ce n'est rien, j'ai chopé un virus, ça m'a fait perdre beaucoup de poids mais je suis guéri maintenant, je vais reprendre du poil de la bête. Parmi eux, il en est qui pensent : c'est le sida évidemment, il n'en a plus pour longtemps.

Au fond, je me fiche de leur effroi ou de leurs hypothèses. Une seule chose m'importe : repérer Paul dans la foule. Car tous les oraux ont lieu le même jour : il est donc là, quelque part, venu passer le sien. Pour être franc, je *crève* de le revoir, voilà trois mois que je ne l'ai pas vu, pas serré entre mes bras, trois mois que je n'ai pas respiré son odeur, et quand, finalement, je l'aperçois, et que je lui fais signe, je ne peux m'empêcher d'être troublé. Et même plus que ça : déséquilibré, bouleversé. Je songe : c'est les boucles brunes, la peau claire, la rondeur des épaules sous un tee-shirt ajusté (c'est le souvenir aussi des confessions nocturnes). Lui vient à ma rencontre sans montrer la moindre émotion, comme si nos retrouvailles n'en étaient pas. Même ma maigreur ne lui arrache aucun commentaire ni aucun embarras apparent. Il sait que toute commisération me ferait horreur. Il s'en tient à la règle par moi édictée. Il dit : ça fait tout drôle d'être ici. Une phrase passe-partout, interprétable à l'infini.

Et puis, il m'embrasse. Un baiser sur chaque joue. Ce qu'il n'avait jamais fait auparavant. J'ai aussitôt envie de dévorer sa bouche, d'empoigner ses épaules, de caresser son torse, de saisir ses hanches. Là, devant tout le monde. Je reste immobile, planté comme un piquet. J'ai envie de verbaliser le sentiment. Je reste muet. Je m'efforce de me remémorer la douceur de ses lèvres sur mes joues.

(Je n'ai conservé aucun souvenir de mon passage devant le jury d'examen. Absolument aucun. J'ignore combien étaient mes juges, quelles têtes ils pouvaient bien avoir, les questions qu'ils m'ont posées, je suis même incapable de me remémorer ce que j'ai pu raconter. Je sais simplement qu'ultérieurement, on me décernera des félicitations officielles. J'en déduirai que je suis décidément fortiche pour tromper mon monde.)

Plus tard, le même jour, quand l'épreuve est achevée, je traîne dans les couloirs, à nouveau à la recherche de Paul. C'est lui qui finit par me repérer. Par s'approcher. Avec un demi-sourire, forcément énigmatique. Nous nous tenons l'un face à l'autre, dans le hall de marbre, au pied du grand escalier. Autour, quelques allées et venues, des conversations parcellaires, des fumées de cigarettes, un papier journal qui s'envole, aspiré par un courant d'air. On ne se parle pas. On se regarde. On ne s'est jamais regardés comme ça avant. Je devine qu'on ne se regardera plus jamais comme ça. C'est un aveu. Ou un adieu. Probablement les deux.

C'est moi qui romps le silence, je dis : je dois retourner à Saint-André, j'ai une perfusion qui m'attend. Il dit : je t'accompagne.

On marche côte à côte dans le plein soleil, dans la lumière insoutenable. Il me semble que c'était le même soleil, le premier jour, tandis qu'on se rendait à la librairie. On marche sans parler. Et je veux croire que ce silence est encore une communion, une étreinte à distance.

Puis il prend la parole, presque par surprise. Il dit : tu as peur ?

Sa question est d'une incroyable brutalité. Et d'une incroyable délicatesse.

Je dis : non, pas tellement, je devrais sans doute, je n'ai pas eu beaucoup de chance jusque-là, et une opération ce n'est pas anodin, j'ai compris qu'ils étaient eux-mêmes un peu inquiets, si je perds trop de sang en cours de route ça peut devenir compliqué, et même si je ne les lâche pas je ne serai pas sorti d'affaire pour autant, tout ça je le sais, mais non, curieusement je n'ai pas peur, je crois que ça va marcher, que j'en vois le bout.

Je ne lui mens pas. Ce que je lui énonce, je le pense réellement. Je jure ne pas avoir eu peur. Après coup, certains expliqueront que c'était de l'inconscience (ils auront tort, j'étais très conscient du danger). D'autres qu'il s'agissait d'une forme de déni (oui, peut-être). Le fait est que j'y suis allé, convaincu que je n'allais pas y rester. Que ce n'était pas pour cette fois-ci.

Je dis : et toi, tu as peur ? pour moi ? Sa réplique fuse : non, je crois aussi que ça va marcher. Je plaisante : tu dis ça pour me faire plaisir ? Il répond sérieusement : je ne suis pas quelqu'un qui cherche à faire plaisir, tu as dû remarquer.

Oui, j'ai remarqué.

Je dis : quand même il y a quelque chose que je redoute, c'est la balafre. Il se tourne vers moi : la balafre ? J'explique : ils vont m'ouvrir sur une quinzaine de centimètres, et me recoudre, ils vont me poser un drain aussi, tout ça laissera des traces. Cette fois, c'est lui qui plaisante : ça aura un petit côté Albator. Et c'est moi qui suis sérieux : je crois que c'est une mutilation que je ne supporterai pas, les gens ne verront qu'elle dès que je me mettrai torse nu. Il dit : *moi, je l'embrasserai, ta balafre.*

On arrive devant l'hôpital. On s'arrête. Ou plutôt il me force à m'immobiliser. Il dit : je n'entre pas. Et j'entends : je n'irai pas plus loin. Il se justifie : je n'aime pas ces endroits, personne n'aime, de toute façon, non ? (Je me rappelle son unique visite, si rapide, si embarrassée, je ne suis pas vraiment étonné.) Je souris faiblement, pour acquiescer. Il ajoute : tu ne m'en veux pas ? Je réponds que non, que je comprends très bien, qu'il n'y a *pas de mal*. Il détourne le visage, il dit : en fait, je n'ai pas envie de te revoir dans ce décor, pour moi *tu n'appartiens pas* à ce décor. Il marque un silence. Et reprend : chaque fois que je t'appelle ou presque, je sais bien que tu te trouves à l'hôpital mais je m'efforce de ne pas visualiser ta chambre, peut-être que ça te semble bizarre mais c'est comme ça.

Il enchaîne : je repars à Paris demain, je reprends le travail mercredi, ils m'ont juste filé deux jours pour l'oral. J'accuse le coup. Il dit : je t'appellerai jeudi pour prendre des nouvelles. Je dis : d'accord. Et puis il hésite, c'est patent cette hésitation, il ne sait pas quelle attitude adopter, quelle posture. Il ne va pas me serrer la main, ce serait ridicule. Pas m'embrasser sur les joues à nouveau, je devine que c'était un élan unique. Je pense qu'il va prendre congé comme ça, abruptement, mais non : d'un coup, trop vite, maladroitement, il s'approche de moi et m'étreint, en enroulant grand ses bras, en pressant son torse contre le mien, et l'étreinte dure, et l'étreinte se détend, il plonge son visage dans mon cou, je sens sa peau contre ma veine jugulaire, me revient le souvenir des baisers sur la veine, et tout aussi soudainement il se redresse, et tourne les talons. Je demeure interdit sur le trottoir, les bras ballants. Je le regarde s'éloigner dans le soleil trop fort.

Je songe : si peu aura été dit en mots dans cette relation, tant aura été dit en gestes. C'est vertigineux.

Les jours qui suivent resteront, et de très loin, comme les plus incertains, les plus aléatoires de toute mon existence.

Le 4 juillet, dans la soirée, deux infirmières viennent raser mon corps en prévision de l'opération du lendemain matin. Dans le film de Chéreau, adapté de mon livre, cette cérémonie, car c'en est une, est probablement la scène la plus forte. On y voit Bruno Todeschini, qui interprète le rôle du malade, étendu sur un lit, dénudé, manipulé avec délicatesse par les deux femmes, la mousse à raser disséminée, les rasoirs qui virevoltent entre leurs mains précises, la pilosité qui peu à peu disparaît, la blancheur qui apparaît, la maigreur qui se creuse davantage encore. Pour composer cette séquence, Patrice s'est directement inspiré de la *Lamentation sur le Christ mort*, le tableau de Mantegna. Dans la peinture, le Christ, allongé sur la pierre du sépulcre, est placé de face dans une perspective centrale depuis les pieds vers la tête, un drapé couvre ses jambes. Dans le film, l'homme est dans la même position de gisant, ses yeux sont également fermés. Seule différence : les vivants, sur le côté, ne pleurent pas.

La nuit qui suit est étrangement silencieuse. Je dis « étrangement » parce que la nuit, à l'hôpital, n'est jamais silencieuse : on entend des râles qui semblent parcourir les corridors telles des présences invisibles, des cris venus d'autres chambres, le tintement régulier d'un scope qui mesure en continu la fréquence des battements cardiaques, le crissement des roues d'un chariot sur le linoléum, le grésillement d'un poste de radio. Mais là, rien. Cette nuit-là, rien. Ou alors j'étais déjà dans un état second.

Le 5 juillet, un chirurgien pratique la splénectomie. Il fait glisser la lame sur mon ventre, il ouvre, retire l'organe. Cette partie de mon corps est endommagée à jamais.

J'apprendrai ultérieurement qu'on a failli me perdre en cours d'opération. Les plaquettes, remontées de manière artificielle grâce au bolus, ont chuté de façon dramatique. Il a fallu faire plus vite que prévu. On a refermé à la hâte. Ça se voit. Mais je suppose que c'était ça ou mourir.

Dans l'après-midi, je me réveille péniblement en salle de soins. J'ai très mal à l'épaule. On me fournira l'explication : mon bras a été attaché derrière ma nuque pendant l'heure qu'a duré l'opération, afin de laisser place nette pour le charcutage. Quand j'ouvre les yeux, tout est vaporeux, nébuleux, cependant j'aperçois mes parents penchés sur moi. Ils portent des blouses et des masques chirurgicaux de couleur bleue. Je devine leurs sourires sous le masque. J'essaie de leur sourire en retour sans y parvenir. Ils me disent quelque chose, ils prononcent sans doute des mots simples, comment ça va, comment tu te sens, des mots tout bêtes et essentiels mais je ne les comprends pas.

En inclinant la tête, je vois le pansement qui barre mon ventre, l'épicrânienne plantée dans mon bras, un tensiomètre, une sonde, un drain qui évacue un liquide noirâtre. Je referme les yeux.

Le 6 juillet, je suis de retour dans ma chambre. Le téléphone sonne. L'infirmière présente par hasard à cet instant précis décroche pour moi, à ma demande. Elle dit : un certain Paul Darrigrand (ce serait un bon titre de livre). Je dis : oui, je prends. Elle me tend le combiné. Ce qui me frappe d'emblée, c'est la froideur de Paul. Sa voix est d'une parfaite neutralité. Aucune aspérité, pas la moindre variation, une ligne plate, celle de l'encéphalogramme qui annonce la mort du patient. Il prend de mes nouvelles pourtant, se réjouit que *ce soit fait*, exprime sa conviction que ça ne peut aller que mieux maintenant, que les prochains résultats seront encourageants, il cède aux prédictions, lui qui d'ordinaire s'en tient aux faits, mais on jurerait qu'il le fait machinalement, comme on débite un discours, je lui dis : tu es occupé peut-être, il dit : je suis au travail, je ne peux pas te parler longtemps, il ne dit pas : je te rappellerai quand je serai seul, plus tranquille, il ne fixe pas de nouveau rendez-vous, il raccroche. Sa froideur est telle qu'elle me donne l'impression qu'il me quitte, là, sans plus de considération, sans s'attarder à discuter des raisons, des motifs. Il existe une formule pour désigner son attitude : *sans autre forme de procès*. En écrivant *De là, on voit la mer*, livre dans lequel une femme quitte son mari accidenté, tandis qu'il est étendu sur son lit d'hôpital, dans le seul but d'aller rejoindre une nouvelle existence possible, loin, en Italie, je repenserai à ce moment.

Quelques heures plus tard, on me communique les résultats des premières numérations postopératoires : les plaquettes n'ont pas bougé d'un iota. On ajoute : mais c'est normal, c'est trop tôt.

Les jours qui suivent, je les passe sous calmants. Je me souviens de petites piqûres administrées dans les cuisses. Quand la douleur est trop lourde, je réclame ma dose.

Je m'étonne qu'on ne me fournisse pas de nouveaux chiffres. On m'explique tour à tour que je dois me montrer patient, qu'ils ne sont pas significatifs, qu'on refait les prélèvements parce qu'*on s'est sans doute trompés* (je me rappelle l'horreur de cette phrase : on s'est sans doute trompés). Mes parents sont blêmes. Après coup, j'apprendrai qu'ils disposent des résultats parce qu'ils les ont réclamés, parce qu'ils ont insisté, et que ma mère est tombée dans le couloir, ses jambes l'ont trahie, il a fallu la ramasser.

Me revient la scène dans *Il faut sauver le soldat Ryan* : des militaires et un curé viennent apprendre à la mère que son fils est manquant, ils arrivent en voiture, elle aperçoit la voiture depuis la fenêtre de sa cuisine, la poussière soulevée par les roues, elle est en train de faire sa vaisselle, elle s'interrompt, sèche ses mains, se dirige vers la porte d'entrée vitrée, la franchit pour atteindre le porche de sa maison, elle est filmée de dos, dans une sorte de pénombre, de contre-jour, les hommes stoppent la voiture, en sortent, elle comprend, elle comprend aussitôt, elle vacille, elle s'affaisse, elle s'écroule sur le plancher de la véranda, de dos.

On me commande de marcher aussi. On m'explique qu'il n'est pas bon de demeurer étendu, que je dois réapprivoiser mon corps, le faire fonctionner. Je déambule dans une extrême lenteur, arqué tel un vieillard, accroché à mon pied de perfusion. À chaque pas, je suis terrorisé à l'idée que les agrafes pourraient sauter, que la plaie pourrait s'ouvrir, et ça me déchire. Je ne comprends pas l'intérêt d'une souffrance pareille.

Les plaquettes ne remontent toujours pas.

Paul me rappelle, sa voix a changé du tout au tout. Il dit : je suis désolé pour l'autre jour, au téléphone, j'ai dû te paraître distant, mais c'est parce que je suis comme tout le monde : *je sais pas bien faire avec tout ça.*

Ça, mon état, et l'épée de Damoclès au-dessus de ma tête.

Je dis, dans un pauvre sourire : rassure-toi, tu n'es pas comme tout le monde.

Je comprends qu'il est absolument perdu, que nous le sommes tous les deux.

On ôte mon drain. Imaginez une lame de poignard d'une quinzaine de centimètres, à l'intérieur de votre corps, sur laquelle les chairs se sont refermées et quelqu'un qui tire dessus pour la retirer. On m'inflige cette torture. Catherine, qui arrive dans ma chambre par hasard, en ressort immédiatement, une main devant la bouche, pour réprimer un cri.

Le 11 juillet, le Professeur se présente avec sa mine des mauvais jours. Dans un silence de cathédrale, devant des étudiants embarrassés (certains baissent la tête, d'autres me scrutent, guettant ma réaction), elle annonce qu'*il est possible que la splénectomie ne produise pas les effets escomptés*. Je songe qu'elle a abandonné le vocabulaire élémentaire, direct, qu'elle a abandonné la franchise, la limpidité, que devant l'obstacle elle a renoncé, elle a préféré les circonvolutions, les contorsions. Peu importe, tout le monde comprend.

Je le reconnais aujourd'hui, alors que je l'ai toujours nié, y compris devant mes parents : à cet instant, pour la première et unique fois, j'admets que je me suis trompé, que je vais bien mourir dans cette histoire.

(Un détail : ça me paraît risible de ne pas mourir de ce dont mes amis sont morts, meurent ou mourront. C'est comme une incongruité.)

(Autre chose : ce qui domine alors, c'est une forme de résignation. J'abandonne. Voilà.)

J'appelle Paul. Je l'appelle pour lui dire à lui, ça, que je ne dirai à personne d'autre, la prédiction enfin formée de ma disparition prochaine. J'ai préparé les mots, ils sont tragiquement simples : *je vais mourir, Paul*. Je ne veux pas les prononcer pour qu'il s'apitoie, ni pour qu'il me contredise, ni pour qu'il se sente obligé de me dire des choses belles en retour, celles qu'il n'a jamais dites, non, je veux les prononcer pour qu'il sache, c'est tout, pour qu'il sache que j'en ai conscience, la mort me cueillera par surprise mais elle ne sera pas une surprise ; et que je n'ai pas vraiment peur. Je veux prononcer les mots pour les entendre moi-même, aussi, pour entendre leur sonorité. Je suis au téléphone, il est à l'autre bout, j'ai son souffle dans l'oreille, son souffle de la nuit. Les mots sont là, sur le bord des lèvres. Ils vont sortir. Et puis finalement non. Je ne les prononcerai pas. Je n'y arriverai pas. Je lui dis que je vais bien.

Et il ne me croit pas.

Avec le recul, je conclus que je me suis tu (une fois de plus) pour que ça n'existe pas : si les mots n'étaient pas prononcés, alors ça ne surviendrait pas.

Quelques heures plus tard, le Professeur revient dans ma chambre : cette fois, elle est triomphante. Les plaquettes viennent d'opérer une ascension *fantastique*. Deux cent dix mille. Je n'ai pas oublié le chiffre. Celui qui ramène parmi les vivants.

Le soulagement est immense. Mes parents remontent d'abîmes insondables, d'une obscurité si obscure qu'ils n'espéraient plus revoir la lumière. Encore aujourd'hui, presque trente ans après, ma mère n'est pas entièrement venue à bout de ce traumatisme tant il a été profond, violent. Je sais qu'elle pleurera en lisant ces lignes. Je suis vivant, maman, c'est tout ce qui compte.

Le soulagement sera de courte durée. Le 12 juillet, on m'explique que les plaquettes remontent trop, beaucoup trop, qu'elles crèvent les plafonds. Elles approchent les neuf cent mille. En somme, depuis des mois je risquais l'hémorragie et désormais je risque le caillot, la thrombose. Tout ce qui fluidifiait mon sang était à bannir, dorénavant on m'en administre à haute dose. Tout ce qui m'était interdit m'est maintenant prescrit. J'éclate de rire. Beaucoup ont trouvé lugubre cet éclat de rire.

Paul au téléphone aura la même réaction que moi (le rire). Ajoutant : ils découvrent que tu es une énigme mais moi, je le sais depuis longtemps.

À part ça, l'inquiétude revient au galop : décidément, je mets beaucoup de mauvaise volonté à être sauvé.

Le 14 juillet, je regarde à la télévision jusqu'à tard dans la nuit le défilé que Jean-Paul Goude, casquette du sale garnement vissée à l'envers sur la tête, a imaginé pour célébrer le bicentenaire de la Révolution française. Sur les Champs-Élysées se déploie une parade baroque, délirante, douze tableaux vivants, des roulements de tambours, des danseuses géantes en robe noire, des camions-citernes crachant une neige artificielle et même une locomotive. Sur la place de la Concorde, devant George et Barbara Bush, Jessye Norman chante « La Marseillaise » drapée de soie bleu blanc rouge. Je ne peux détacher mon regard de la télévision. Cette démesure m'enchante. Ç'aurait été un beau soir pour partir.

Quoi de plus doux qu'un soir d'été ?

(On m'a demandé si j'avais eu des pensées de suicide. J'ai répondu non. Sur ce point, j'ai dit la stricte vérité. Dans *Son frère*, le héros meurt. Il devance la mort à venir. Il la provoque en allant se noyer, en entrant calmement dans l'océan. Je ne suis pas un personnage de roman.)

Le 17 ou le 18 juillet, les résultats se normalisent enfin. Le navire a tangué dangereusement sur des eaux houleuses, dans un décor d'apocalypse, et les eaux redeviennent paisibles. Oui, voilà, c'est aussi simple que la fin d'une tempête. D'un coup, les vents retombent, la pluie cesse, une sorte de tranquillité étrange s'instaure, d'abord on n'est pas certain que ça va durer, on contracte encore les épaules, on se méfie et puis on se rend à l'évidence, ça a l'air terminé, les vents ne recommenceront pas à souffler, les ondées ont disparu, le ciel se dégage, on peut se détendre, on ne mourra pas cette fois-ci. On ne mourra pas cette fois-ci.

Je ne me dis pas : une nouvelle vie commence. Je ne raisonne pas comme ça. Je me dis : je vais reprendre la maîtrise de ma vie.

C'est ce moment que Paul choisit pour m'annoncer qu'il a trouvé un deux pièces, du côté des Buttes-Chaumont (j'ignore où ça se trouve, il précise : c'est au nord de Paris, il y a un grand parc ; j'imagine des enfants qui s'égaillent).

Il ajoute : on y emménage le 1er août. J'entends le « on ».

(Après coup, il précisera : je devais être honnête avec toi.)

Quand je raccroche, je tourne la tête en direction de la fenêtre, je contemple le ciel laiteux. Je ne vais pas pleurer. Tout de même, d'un geste nerveux de la main, j'efface un sanglot.

Je reste à l'hôpital jusqu'à la fin du mois. Quand j'en sors, je pèse quarante-neuf kilos. Mais je suis tiré d'affaire. Je ne repasse pas par la rue Judaïque : mes parents se sont chargés de vider l'appartement, ils ont rendu les clés, salué ma propriétaire, je rentre à Barbezieux, avec eux, auprès d'eux ; ils reprennent leur enfant.

Du mois d'août, c'est bien simple, je n'ai conservé que trois souvenirs.

Je suis dans le jardin, je joue avec le chien de mes parents, un bichon blanc. Nadine est là, venue me rendre visite, il fait très beau, très chaud, je demande à manger de la glace à la menthe, j'ai renoué avec la faim, la gourmandise, je mange trop et trop vite, j'ai soudain la nausée, je regagne la maison, je me dirige en catastrophe vers la salle de bains, je vomis, le visage encastré dans la lunette des toilettes, ma carcasse se soulève, j'ai l'impression qu'elle agit en dehors de ma propre volonté, je me tiens les côtes, je me vide (mais de quoi ?). Quand je réapparais dans le jardin, Nadine me dévisage avec effroi.

On est dans l'île de Ré, on est venus passer quelques jours, c'est encore le temps de la convalescence mais je vais mieux, vraiment mieux, le corps parfois accomplit des miracles, on se rend sur la plage Saint-Sauveur à La Noue, la plage de mon enfance, qui sent le varech, d'où on aperçoit un pétrolier au large, il y a beaucoup de vacanciers, des familles entières, je m'attarde sur les gens, je repère un jeune homme, il me plaît instantanément, il a la peau dorée, des cheveux bouclés, un cul rebondi, je me dis que c'est bien, le désir revient, le jeune homme marche seul, à l'endroit où le sable est mouillé, les vagues mourantes viennent lécher ses pieds, je crève d'envie de le rejoindre, de lui dire : il faut qu'on aille quelque part, toi et moi, tout de suite, un peu à l'abri, il faut qu'on baise, il fait une chaleur épouvantable, ma mère me dit : pourquoi tu n'enlèves pas ton tee-shirt, tu vas mourir de chaud, je ne lui réponds pas, mais je lui en veux de sa phrase qui vient d'anéantir le désir, et je suis incapable de me mettre torse nu, je répugne (le verbe est on ne peut mieux choisi) à montrer mon corps, ma balafre, qui plus est elle est encore si rosacée, si visible, si affreuse, j'ai honte c'est aussi simple, aussi bête que ça, il me faudra cinq années avant d'y parvenir, oui, pendant cinq années, l'été, je ne me mettrai pas torse nu. Le jeune homme a disparu, je l'ai perdu de vue.

À la fin du mois, j'ai repris du poil de la bête, je me rends à Paris pour passer un entretien d'embauche. Je réponds un peu au hasard aux questions du recruteur, un grand échalas avec des lunettes. Je surjoue la désinvolture, comme si je cherchais à ne pas être retenu. Deux jours plus tard, j'apprends que j'ai décroché le job (à cette époque-là, c'était encore facile). On m'attend le 4 septembre. Donc, ce sera Paris. Paul l'avait prédit.

J'ai omis de vous dire : cet été-là, tandis que je me trouvais dans l'île, j'ai fait un saut à Ars-en-Ré, ça a été plus fort que moi, je n'ai pas pu m'en empêcher, je suis retourné voir la maison, la villa de décembre, elle était occupée par un couple avec trois enfants, je les ai vus en sortir avec des parasols, des serviettes de bain, une glacière, ils avaient sûrement loué pour une semaine ou pour le mois, j'ai fait le tour pour apercevoir la terrasse, là où Paul a dit : *on savait que ça arriverait*, j'ai fermé les yeux pour essayer d'entendre les mots à nouveau, mais il y avait un peu de vent, et les cris des enfants, et le tintement de la sonnette d'un vélo, je n'ai rien entendu.

Il y a autre chose. Autre chose à propos de ce mois d'août. *À ce moment-là, je crois encore possible l'amour avec lui.*

Le dimanche 3 septembre, convalescence achevée, je débarque *à la capitale*, hébergé chez Philippe et Catherine (qui viennent de s'y installer), dans l'attente de trouver mon propre appartement (l'entrée dans la grande photo du monde). J'appelle Paul chez lui, il m'a confié son numéro mais je ne l'ai pas encore utilisé, je tombe sur Isabelle, qui m'accueille de sa voix primesautière, elle me coupe dans mon élan : tu n'as pas de chance, il est sorti, il est allé courir, il y a un parc juste à côté de chez nous, tu sais, il faut que tu viennes nous voir, ça fait trop longtemps, mais d'ailleurs tu fais quoi le week-end prochain, allez viens, oui viens, ça fera plaisir à Paul, et à moi aussi bien sûr. Je dis que c'est d'accord, que je viendrai.

Si je suis honnête, je dois mentionner qu'alors j'ai deviné que j'allais me jeter dans la gueule du loup. Et, au fond, n'est-ce pas précisément ce que je souhaitais ?

Le samedi 9, je tiens ma promesse. Petit provincial, j'ai fait comme on m'a dit : prendre la ligne 8, changer à République, prendre la ligne 5, changer à Jaurès, prendre la ligne 7 *bis*, descendre à Buttes-Chaumont, marcher trois cents mètres jusqu'à la rue des Alouettes, repérer l'immeuble, composer le code (je l'ai noté sur un petit papier), sonner à l'interphone, monter les six étages. Quand la porte s'ouvre, l'air embarrassé de Paul est immanquable : je comprends instantanément que lui ne m'aurait pas invité, qu'il n'a pas osé le confier à sa femme afin de ne pas éveiller ses soupçons mais ça émane de lui, malgré lui, cette réticence. Je m'efforce de sourire, comme on le fait quand les choses nous échappent. Isabelle ne remarque pas le malaise ou fait semblant de ne pas le remarquer, m'invite à entrer. Je découvre un cocon, un nid d'amoureux. La vision me soulève l'estomac.

D'emblée, Isabelle assure la conversation, elle dit : tu as l'air en forme (je me suis un peu remplumé et j'ai veillé à porter des vêtements amples), c'est bien ton nouveau travail ? (je fournis des détails, trop, uniquement pour qu'aucun temps mort ne s'installe, la perspective d'un silence me terrorise), tu te plais à Paris ? (Je me montre excessivement enjoué – la honte des origines, de la province ne me viendra que quelques mois plus tard.) Paul ne dit presque rien. Néanmoins, il paraît se détendre. J'aperçois dans son visage une douceur, peut-être un attendrissement.

Et soudain, Isabelle annonce qu'elle doit s'absenter pour aller chercher le gâteau qu'elle a commandé à la pâtisserie du coin en mon honneur. Elle dit : ça se fête ! J'ignore à quoi elle fait référence : mon arrivée dans la capitale, mon emploi, ma survie ? Je ne pose pas la question. Aussitôt, elle nous laisse seuls, debout face à face, devant la porte de l'appartement refermée.

(A posteriori, j'ai acquis la conviction que cette mise en scène – nous laisser seuls, quelques instants – était délibérée, organisée.)

Je n'ai pas oublié notre mutisme (il est lesté de notre gêne), ni notre immobilité (pire qu'une paralysie). Je comprends qu'ils sont pleins de désir et de désarroi, sans que je devine ce qui du désir ou du désarroi va l'emporter.

Et, sans prévenir, n'y pouvant plus, Paul me plaque contre le mur du salon, il m'embrasse dans la voracité (le désir a donc gagné). Il déboutonne ma chemise à la hâte, glisse le long de mon corps, s'agenouille devant moi. Il découvre ma balafre, s'y arrête, paraît la détailler, et accomplit cet acte incongru : il l'effleure de ses lèvres, puis pose délicatement sa joue contre mon ventre, son regard s'aveugle sur les sutures, il enroule ses bras autour de mes hanches ; un naufragé. Il reste plus d'une minute la joue posée contre mon ventre, sans plus bouger. Moi-même, je ne fais pas un mouvement. Finalement, lourdement, il se relève. Je reboutonne ma chemise (le désarroi n'avait pas dit son dernier mot).

Longtemps, je me demanderai s'il s'est agi alors d'un retour de l'obsession érotique, d'une résurgence de sentiment amoureux, d'un surgissement de culpabilité, d'encore autre chose que je ne serais pas fichu de nommer. Le genre d'incertitude qui rend fou.

Quand Isabelle réapparaît, il me semble qu'elle tient le gâteau comme un trophée, qu'elle célèbre une victoire. Tout le déjeuner sera une torture.

Le lundi suivant, Paul me téléphone (je lui ai confié mon numéro au bureau). Il s'exprime à voix basse. Au début je pense qu'il est entouré, qu'on pourrait l'entendre mais, en réalité, il a le souffle court, c'est comme s'il cherchait sa respiration.

Il dit : ça ne peut plus durer.

Je songe que le Professeur avait employé exactement les mêmes termes.

À l'évidence, il est désemparé.

Il ne prononce pas le mot de rupture. Il n'y arrive pas. Ce n'est pas la peur qui le retient, ce n'est pas la lâcheté, non, simplement il n'y arrive pas, ce n'est pas de l'ordre du *faisable*.

Deux jours plus tard, il va finalement trouver un moyen, le plus inattendu, le plus radical qui soit.

Il avoue tout à sa femme, TOUT, dans le moindre détail.

Il dit le jeu de la séduction, le piège qui se referme, il dit l'île de Ré, le basculement, il dit les rendez-vous clandestins, le mensonge, il dit les tentatives d'éloignement et le baiser sur la balafre, il ne cache rien.

Il parle sans s'arrêter. Pas une fois, de toute façon, elle ne songe à l'interrompre.

Un détail : si, dans la confession, il n'omet rien, il ajoute néanmoins la honte. J'aurais compris la culpabilité. Il y en a eu. Mais la honte, non. Je sais qu'il n'y a pas eu de honte. Il n'a pas eu honte. Nous n'avons pas eu honte. Si nous avions eu honte, ça aurait été plus facile.

Mais il fallait bien faire passer la pilule.

Et je ne lui en veux pas. Quand on a tous les torts, la honte peut vous garantir un sauf-conduit.

On verra dans sa confession du cran, du courage, de l'honnêteté enfin, et un risque inouï, celui de tout perdre, sa femme et son amant. Il y avait sans doute de cela, oui. Mais en réalité, si vous voulez mon avis, le risque était infime. Il *savait* que sa femme ne le quitterait pas. Qu'elle serait stupéfaite sans doute, triste évidemment, dépitée forcément, mais qu'elle ne romprait pas, qu'elle ne partirait pas.

Et du reste, elle n'a pas rompu, elle n'est pas partie.

En somme, l'aveu complet, sans fard, était la meilleure façon pour lui de se débarrasser de l'histoire, la nôtre.

Qu'on me comprenne : je ne juge pas Paul. On se débrouille comme on peut.

Le lendemain, Isabelle m'appelle. Elle dit simplement : Paul m'a raconté, ce serait bien qu'on se voie.

Je suis abasourdi par les deux phrases : par la révélation de la confession (il ne m'en avait pas prévenu) et par la proposition d'une rencontre.

La première chose qui me vient à l'esprit, c'est : *je n'ai pas été choisi*, je suis celui qui n'a pas été choisi. Je revis cette malédiction.

Puis : le baiser sur la balafre était donc un baiser d'adieu.

Ce que je ressens ? De la colère et de la frustration. Car j'étais convaincu, absolument convaincu, que *nous aurions été heureux ensemble*.

(Pendant longtemps, j'ai cherché une explication à sa décision de rompre. D'abord, j'ai voulu croire que la balance avait simplement penché d'un côté, que je n'avais pas fait le poids ; je n'avais donc décidément été qu'une maîtresse. J'ai également imaginé que nous étions trop jeunes, que c'étaient des arbitrages trop lourds pour des garçons aussi tendres, aussi peu aguerris que nous à ce moment-là. Et puis, j'ai considéré qu'il lui avait été impossible d'assumer, de s'assumer, qu'il s'était soumis aux conventions sociales, qu'il avait opté pour la tranquillité, qu'il était rentré dans le rang. C'était à la fois respectable et haïssable. Enfin, j'ai pensé : c'était de la peur, la peur de l'amour, la peur du bonheur. Je sais bien que cette dernière explication est un peu trop romantique et me donne le beau rôle. Cependant, il serait injuste de l'exclure. Oui, ça existe, je crois, la peur du bonheur.)

À Isabelle, qui patiente au téléphone, je dis : bien sûr, voyons-nous.

À la fin du *Garçon d'Italie*, Anna, la compagne du défunt, cherche à rencontrer Leo, l'amant du défunt. Elle se rend à la gare, où il se prostitue. Il la repère dans la foule. Il s'approche d'elle, il lui dit : *je suppose que c'est moi que vous cherchez*.

Nous, on se retrouve dans un café de la place du Bourg-Tibourg (où je ne suis plus jamais retourné depuis, y compris récemment alors qu'aujourd'hui j'habite à deux pas).

Après son coup de téléphone, néanmoins, j'ai failli la rappeler, lui dire : à quoi bon, cette rencontre ? il n'en sortira rien, et l'essentiel a été dit. Cependant j'ai renoncé, ne souhaitant pas passer pour un fuyard, un pleutre, pas ajouter la veulerie à la trahison. Il n'en reste pas moins que je n'en mène pas large.

Elle a égaré son léger sourire, son regard qui plisse mais ne manifeste pas d'agressivité pour autant. De mon côté, je m'efforce de dominer mon embarras. Elle entre immédiatement dans le vif du sujet. Elle dit : on ne va pas parler du temps qu'il fait, hein ? Elle dit qu'elle a été blessée, *bien sûr*. Blessée d'apprendre que son mari l'avait trompée. Et d'apprendre qu'il lui avait joué la comédie pendant des mois. Elle dit que c'est pire qu'une blessure : une humiliation. Elle avoue être passée par beaucoup d'états différents : la stupéfaction, l'abattement, la mortification, la rage, le chagrin. Elle se livre sans filtre, sans s'employer à sauver les apparences, à faire croire à de la dignité dans l'épreuve. Elle est dans la vérité, dans l'impudeur. Elle m'impressionne.

Elle ajoute : mais j'ai été soulagée d'apprendre qu'il m'avait trompée avec un homme. Je confesse ma surprise : à mon sens, c'est bien plus grave, c'est la démonstration que son mari n'est pas celui qu'il lui montre et la présomption qu'elle ne peut pas se battre à armes égales.

Elle me corrige (et les paroles qu'elle prononce alors ont la sonorité d'un verdict sans appel, je ne les ai pas oubliées, ces paroles, je les reproduis par cœur) :

j'ai toujours pensé qu'il avait ce genre d'attirance, toujours, si je suis honnête dès la plage d'Hossegor j'ai su, quand je l'ai vu dans le soleil avec sa planche de surf j'ai deviné, je ne l'ai pas formulé comme ça, je l'ai deviné, pourtant aussitôt j'ai compris qu'il allait m'aimer moi, moi et aucune autre, que je serais la seule femme, et que ce serait pour la vie, ça ne s'explique pas, c'est comme ça, tu n'es pas obligé de me croire mais je te jure que ça s'est passé comme ça.

Elle poursuit : c'est pour cette raison que je ne t'en veux pas, voilà ce que je suis venue t'expliquer. Et je suis venue te dire au revoir aussi. Parce que forcément on ne se reverra pas.

Elle s'exprime sans forfanterie, sans arrogance, sans intention de désobliger. Avec un naturel désarmant.

Et puis elle se lève, dépose un baiser, un seul, sur ma joue avant de quitter le café.

J'ai souvent repensé à ce moment. Voulait-elle me signifier qu'elle avait gagné, qu'elle gagnerait toujours ? me libérer d'une éventuelle culpabilité ? me faire admettre que Paul n'avait parlé que pour en finir une fois pour toutes avec cette relation clandestine et qu'elle n'était que l'agent et le messager de cette fin ? prendre congé en adulte ? Sans doute un peu de tout cela.

Je me souviens d'être resté assis dans le café, sonné, avec le brouhaha autour, le ballet des serveurs, les allées et venues des clients, le cliquetis d'un flipper, de ne pas avoir été capable de quitter la table, d'avoir tourné et retourné les choses dans ma tête et d'avoir finalement pris conscience qu'il s'était écoulé presque une année entre le moment où j'avais bousculé Paul Darrigrand à la sortie d'une salle de classe au dernier étage d'un bâtiment universitaire de Bordeaux et celui où il avait refermé la porte d'un appartement parisien après avoir embrassé mon infirmité. Et d'en avoir conclu, si paradoxal que cela puisse sembler, qu'elle avait peut-être été, cette année-là, oui, la plus belle de mon existence.

Certes, je m'étais épris d'un homme inaccessible et j'avais flirté dangereusement avec la mort. Mais je pouvais dire aussi que j'avais été amoureux et que j'étais encore en vie.

Une dernière chose.

J'ai fini par revoir Paul. Longtemps après.

À Montréal, où il travaillait alors (je l'ignorais, j'avais perdu sa trace ou plutôt je n'avais pas cherché à savoir, c'est lui qui me l'a appris ce jour-là).

Moi, j'étais de passage au Québec pour la promotion d'un de mes romans. Ma présence dans un salon était annoncée ; c'est comme ça qu'il avait su.

Il s'est présenté devant moi, un exemplaire à la main. Dans la file d'attente, il avait patiemment attendu son tour.

Il n'avait pas changé. Pas du tout. J'ai été saisi de constater qu'on pouvait demeurer intact, identique, étant moi-même tellement devenu un autre. Mais je me suis comporté comme si tout était normal, comme s'il n'y avait pas la surprise, l'ébahissement et la fébrilité soudaine.

On a d'abord échangé des paroles banales. À propos de Montréal, de la météo, de son travail (je n'ai pas compris ce qu'il faisait, peut-être que je n'écoutais pas vraiment) et de je ne sais plus quoi encore.

Je ne lui ai pas demandé s'il était toujours marié, j'ai simplement remarqué qu'il ne portait pas son alliance.

Il ne m'a pas demandé comment j'allais. Mais il a dit qu'il avait de mes nouvelles par les livres (je me souviens de cette expression, *j'ai de tes nouvelles par les livres*, je l'ai imaginé les achetant peu après leur publication, les lisant vite, trop vite sans doute, y cherchant à son corps défendant une trace de ce que nous fûmes l'un à l'autre, la débusquant quelquefois, sans savoir si cette découverte était une douleur ou un baume).

Et puis, c'est venu, brusquement, en une seconde, l'intimité : il m'a demandé si *je lui en avais voulu.*

Je l'ai fixé, il était très beau et très vulnérable, je me suis souvenu de sa beauté d'avant, des lourdes boucles brunes, de la rondeur des épaules, de son ventre où je posais ma tête, je me suis souvenu de la rue Judaïque, des étreintes et des départs, je me suis souvenu de sa voix dans le combiné du téléphone les soirs d'hôpital, j'avais compris qu'il parlait de la rupture, de la fin de l'histoire, de cette béance, et de nos existences qu'il avait bien fallu sauver après ça, et, sans ciller, je lui ai répondu que non.

J'ai ajouté, dans un sourire : qu'est-ce que tu veux, il y a des gens comme ça, qu'on exonère de tout reproche, même si c'est injuste, même si c'est incompréhensible.

Il m'a dévisagé longuement en retour et il m'a semblé que des larmes affleuraient. J'ai cessé de sourire.

Il a juste dit : moi, je m'en suis voulu.

Cet ouvrage a été composé et mis en pages
par ÉTIANNE COMPOSITION
à Montrouge.

Imprimé en France par CPI
en mai 2020
N° d'impression : 3038712

S29859/01